Gisèle Halimi

La cause
des femmes

PRÉCÉDÉ DE
Le temps des malentendus

Nouvelle édition
revue, augmentée et annotée
par l'auteur

Gallimard

Gisèle Halimi, avocate à la cour d'appel de Paris, est présidente du mouvement féministe « Choisir la Cause des Femmes ».

Elle a été députée à l'Assemblée nationale et ambassadrice de France près de l'UNESCO.

Elle a publié — notamment — *Djamila Boupacha*, *Le procès de Burgos* et *Le lait de l'oranger*.

« *...On ne naît pas femme :
on le devient...* »

SIMONE DE BEAUVOIR.

LE TEMPS DES MALENTENDUS

Il semble que l'on se soit donné le mot.

Précédée du catalogue des conquêtes de base des femmes, la question sévit, répétitive et tous terrains. Dans une réunion politique, à l'occasion d'une interview, pour un micro-trottoir, entre amis, un soir de couscous. Cyrano lui-même, devant la diversité du registre, renoncerait à son « cap », son « promontoire », pour le continent infini d'une cause-iceberg : celle des femmes.

Peu de thèmes permettent un vocabulaire aussi foisonnant pour camoufler le non-dit. Et autant de styles pour exprimer un malentendu dans toutes ses variantes.

Le féminisme, c'est quoi ? Ça existe ? Aujourd'hui, ça pourrait exister ? Et pour quoi faire ?

Les femmes ont tout obtenu. Justes d'ailleurs, leurs revendications. C'est la gauche de 1981 qui a tout fait. Mais c'est la droite moderne qui a pris l'initiative, rappelez-vous, pour la libéralisation de l'avortement, un projet giscardien, qui oserait le

contester ? Et l'égalité professionnelle ? Et la lutte
contre le viol ? Telles des litanies, nos conquêtes,
que chaque parti politique s'approprie, (répétons-
le : rien ne ressemble autant à un misogyne de
droite qu'un misogyne de gauche) ponctuent le
propos. Le ton est généralement favorable. Encore
que l'éventail des questionneurs comprend aussi, à
son extrême, un Cyrano-Don-Juan, que la perte ou
l'anachronisme de sa Carte du Tendre, angoisse,
d'évidence. Sa compassion — les femmes auront
beaucoup perdu, dans ces histoires de féminisme...
elles font peur aux hommes, et leur solitude, etc.,
etc. — exprime surtout la déroute de ses repères ata-
viques. Même le commun des hommes, sans ce
« miroir grossissant » que présentait, à ses exploits
masculins, sa compagne d'antan, se sent réduit de
moitié, grandeur nature. Dur...

Bref, nous vivons un grand malentendu. Plusieurs
malentendus.

Et d'abord celui, fondamental s'il en est, d'une
définition, ou de deux. Le féminisme dans son Histoire, le féminisme dans son présent.

Le féminisme, qu'est-ce que c'est ?

La question, multiple, admet implicitement que
la démarche a trouvé, *dans le passé*, quelques justifi-
cations. Sans aller jusqu'à la trouver « incontour-
nable », l'humaniste moyen, historiquement déterminé, comprend. Comme il comprend — tout en
regrettant qu'elles n'aient pas trouvé de solutions
plus aimables — les révoltes d'esclaves ou les
guerres d'indépendance.

Naître femme, pour ma génération, c'était faire partie de cette moitié de l'humanité, qui, jusqu'à sa mort, subirait toutes les discriminations. Pour la seule raison qu'on ne naissait femme que pour le devenir. Devenir femme relevait d'une condition objective dont l'essentiel était l'infériorisation et l'irresponsabilité. Dans l'éducation, le travail, la politique, comme dans la sexualité, le mariage, ou encore dans le langage, à la femme était assigné le statut d'un sous-individu.

À l'homme et à la société la liaient des rapports de dépendance et d'inégalité. Quelquefois, elle cumulait. À cette discrimination originelle, elle ajoutait celles de la race, de la couleur, de la classe (partagées avec l'homme). Certaines femmes, mêlant vécu et réflexion, prirent conscience de *ce fait objectif*. Leur histoire de couple, l'injustice, la violence, l'humiliation subies au foyer comme au travail se recoupaient bizarrement dans ces récits de femmes entre elles. Ce que Marie devait enfouir au fond d'elle-même parce qu'elle en avait honte, ce qu'elle ressentait comme la négation de son identité même de femme, on lui avait dit que ça s'appelait *la vie privée*. Mais Josiane retraçait — à quelques variantes près — un parcours identique. Et d'autres, et d'autres encore. Ainsi le même étrange scénario se déroulait selon les mêmes grandes règles à l'intérieur des foyers, des usines et des bureaux. Et pourtant, « ils » étaient si différents, ces hommes. Une première conclusion s'imposa : le fait dit *privé* répondait aux lois d'une culture, d'une économie. Il en devenait *politique*. Et cela portait un nom : l'oppression des femmes. Elles brisèrent un consensus millénaire et refusèrent d'intérioriser l'aliénation. Elles décidèrent de lutter. Ensemble. En se rencontrant, en échangeant leur expérience, en inventant les moyens du refus, elles mirent à nu les fondements de la plus grande et de la plus ancienne servitude de l'Histoire.

Leur première découverte fut aussi simple et aussi ancienne que la *Bible*. Cette *Bible* qui, depuis la nuit des temps, les traitait si mal. Préférant Ève (la sotte pécheresse) à Lilith (la sensuelle autonome) les Écritures condamnèrent les femmes à n'être que la propriété de l'homme, Ève, qui devait sa création à un os surnuméraire de l'homme[1].

Mauvais départ.

Elle ne tarda pas à s'en laisser conter par un serpent et préféra les pommes au Paradis. Désormais, pour elle, un destin : la dépendance. Toutes les dépendances. Son sexe, « porte du diable » (Tertullien, père de l'Église, dixit...) ne servirait qu'à la reproduction. Son rôle se limiterait à subir puis à accepter, donc à perpétuer, un monde de ségrégation. Sa sottise — originelle et acquise — lui interdirait toute participation à la vie de la Cité. Les jeux étaient faits. Depuis la création du monde.

Lilith était une créature « directe » de Dieu, comme Adam, auquel elle ne devait pas le moindre gramme d'os ou de chair. Elle prétendit partager avec lui les initiatives du couple. Notamment dans l'amour. Elle disparut aussitôt de l'Histoire reli-

gieuse. Ou plus exactement elle rejoignit ses pou-
belles. Exit Lilith.

Et Ève, toutes les Èves, mais chacune dans sa cuisine, ou s'affairant seule autour de ses marmots, se
calfeutrèrent — au moyen d'une ignorance
ouatée — l'intelligence, le cœur, la dignité d'être
humain enfin. Petit à petit, conditionnées par une
société masculine, mais aussi essayant de recevoir le
moins de coups possibles, allant quelquefois jusqu'à
utiliser l'arme des faibles — *la mauvaise foi* — elles
consentirent à leur oppression. La femme accepta,
dans le silence et l'étonnement, les fleurs de
l'oppresseur, ses hymnes à la fée du logis, à l'âme du
foyer. On lui raconta qu'elle était un être de passion, d'instinct, d'intuition. (Toutes qualités dont
l'homme se dépouillait, pour ne s'octroyer que
l'intelligence créatrice, l'esprit scientifique, l'art
d'être « aux affaires », le goût inné pour le pouvoir.)

Cela suffit pour tuer dans l'œuf toute lucidité.
Alors la femme glissa dans la résignation. Et, pour
éviter la blessure, dans la complicité.

Ainsi, les premières rebelles découvrirent que le
sort des femmes n'échappait pas à la règle qui perpétue les grandes oppressions de l'Histoire : sans le
consentement de l'opprimé — individu, peuple, ou
moitié de l'humanité — ces oppressions ne pourraient s'étendre, ou même durer.

Consentement il est vrai, arraché par la force, la
nécessité, le conditionnement, le dol. Ou simplement par la peur du mal, par le mal de vivre.

Donc les femmes s'étaient faites, *objectivement*

XVI *La cause des femmes*

complices, en reproduisant, véhiculant, les réalités et les mythes de leur condition.

Celles qui, dans les années 60, en prirent conscience décidèrent de former d'abord un front du refus. Plus de complicité avec le système, qu'il s'exprimât par la violence — femmes avortées (clandestinement), femmes battues (conjugalement), femmes violées (ordinairement) —, ou par la séduction, la galanterie ou tout son fourbi, les « approches » amoureuses, le langage aliénant. L'attitude procédait d'une nouvelle rigueur.

Le féminisme moderne était né. Les objectifs comme les moyens relevèrent d'une très grande diversité. Diversité que l'analyse des groupes de femmes reflétait dans leur vision du futur.

Les unes voulaient *améliorer* la condition féminine (par des réformes égalitaires). D'autres expliquaient qu'elles étaient porteuses d'un projet global de société (les réformes ne pouvaient donc être des *fins* en soi). D'autres enfin rejetaient tout rapport avec l'univers masculin dont elles exigeaient la suppression. Ces *radicales* — comme on les appela — entendaient investir et subvertir la société sans s'y intégrer le moins du monde. Refus donc de la revendication égalitaire, qui engendra deux projets : création d'une société parallèle, destinée à supplanter celle des hommes, ou formation d'un « îlot de sororité » dans l'océan du sexisme.

Toutes, en tout cas, exigèrent la reconnaissance de leur *identité*. C'est-à-dire de leur dignité de femme.

Cet événement fit date et scandale.

Les freudiens (classiques) y virent la confirmation de leur a priori : la femme — l'ombre — manifeste ainsi son envie de pénis. C'est Luce Irigaray qui leur répondit avec fermeté : ce qui manque à la femme, ce qu'elle recherche dans ce monde d'hommes, ce n'est pas un pénis ou un substitut quelconque, mais son *identité reconnue* de femme[2].

Les féministes utilisèrent tous les moyens. Provocation, défi, projets de lois, manifestations publiques, refus et, par-dessus tout, humour. Un humour neuf, riche de ces frustrations séculaires, pressé de s'exprimer en mots, en slogans, en mise en scène. Un autre langage, déjà, naissait. Une remarque me vient à l'esprit, rarement entendue, et que je livre ici : le combat féministe n'utilisa jamais la violence. Personne ne souligna qu'une des plus grandes révolutions du vingtième siècle — la plus grande peut-être en ce qu'elle met en cause les racines de notre monde — alla sa marche forte et poétique sans que viennent la ternir le terrorisme (contre l'ordre répressif), la liquidation physique (de l'ennemi), l'exécution (du collabo, ou plutôt, de *la* collabo).

L'ère conquérante

À la question : « le féminisme qu'est-ce que c'est ? », j'opposerai d'abord la liste de ses acquis.

Débordant la décennie, et le train-train des mœurs, les années 1970-1983 furent, pour les femmes, en France et dans le monde, l'ère des conquêtes.

Les féministes françaises firent sauter, l'un après l'autre, de très importants verrous de leur dépendance.

Elles arrachèrent une liberté essentielle : celle de disposer de leur corps (comme tous les hommes depuis l'abolition du servage). Elles obtinrent que leur soit consacré, dans les textes, le droit — sans lequel toute liberté n'est que leurre — de choisir leurs maternités. Et même la non-maternité. Vaste lutte, lutte multiforme, de longue haleine, qui mit en jeu l'irrationnel même, le sexe, la vie, la mort.

Tout le monde s'en mêla : les papes de toutes les religions, les démographes, les savants Prix Nobel, les métaphysiciens, les juristes et, en dernier ressort, le législateur. Les femmes, elles, auront sans doute vécu une période intense, profondément *identitaire*, la plus affectivement solidaire aussi de leur existence. Cette solidarité, étouffée, détournée, manipulée, semblait remonter de la nuit des temps, où, avant que la culture amoureuse masculine n'en fît des rivales, les mères et les filles s'aimaient et aimaient la nature[3].

On peut dire aujourd'hui que, de cette solidarité féminine ressuscitée, naquit un nouveau regard des femmes sur elles-mêmes et un regard autre sur les hommes. Les hommes, comme pour les punir de l'extraordinaire privilège qu'elles détenaient — procréer — avaient fait de ce mystère antique un processus purement naturaliste. Tels des animaux, tels des réceptacles, les femmes ne pouvaient ni vouloir, ni empêcher, ni même prévenir une naissance. Le pouvoir que les hommes des cavernes assimilaient au divin, les hommes du judéo-christianisme le définirent comme une fatalité biologique, un destin qui asservissait la femme, corps et vie.

C'est que, bien antérieurement à toutes les théories pré-industrielles et marxistes, le patriarcat refusa de reconnaître en la femme un sujet autonome et responsable.

De ce déni séculaire naîtra son déficit identitaire.

Toute la culture, au sens le plus large du mot — aussi bien la religion que les institutions, le pouvoir politique, la sexualité et les mots —, sera marquée par l'hégémonie masculine. Les religions, qui jadis identifiaient le féminin et le naturel, célèbreront le Dieu fait homme et dénonceront le pouvoir maléfique du sexe féminin. L'enfermement dans son propre corps commandant tous les autres, on comprend l'ampleur historique de la bataille pour le droit à l'avortement (et pour la contraception).

Pouvant maîtriser sa fécondité, d'animale la femme devenait humaine.

Débarrassée de la hantise séculaire d'une fécondité « naturelle », elle découvrit sa propre sexualité. Son corps source de plaisir. Rien à voir, rien à faire avec ce que les hommes avaient décrit, décrété comme étant le plus profond de nous-mêmes, en réalité, imaginé à travers leurs propres désirs, pulsions, plaisirs. La sexualité, nous l'avions toujours vécue comme relative et devant servir. À l'homme (son plaisir), au pays (la démographie : qui paiera les retraites s'il y a dépeuplement ?), à la patrie (la guerre, division Daguet chérie...), enfin à la religion/ culture (le mariage monogamique).

Cette même revendication d'identité conduisit les féministes — les femmes — à combattre le viol. Comme pour le droit à l'avortement, celui d'affirmer son désir — ou son non-désir —, en même temps que son intégrité sexuelle, finit par remettre en cause une « culture » déprédatrice millénaire. De tous temps, sous tous les cieux, à l'occasion de toutes les croisades — que ce soit pour instaurer la barbarie ou pour défendre la liberté —, les hommes ont violé. Femmes-butin, femmes niées, femmes saccagées.

Le viol, proclamé crime par la loi[4], pouvait désormais être imputé à un époux contre sa femme (ce que la vieille notion juridique du « devoir conjugal » interdisait), à un individu contre un autre individu, quel que soit son sexe (ce qui réprimait les crimes homosexuels, la sodomie dans les prisons, etc.). Dans ce domaine comme dans tous les autres, la cause des femmes aura objectivement fait progresser celle de l'humanité en général. Ici, elle aura mis un barrage de plus à la violence, *quelle qu'en soit la victime*.

En exigeant plus d'égalité — dans le travail, dans la vie civile, dans le couple, dans la politique —, le féminisme tente de faire prévaloir d'autres valeurs culturelles dans sa relation à l'autre, et d'abord le respect du *même dans sa différence* identitaire.

L'égalité professionnelle n'est-elle pas aussi une revendication de justice ? Les féministes, en obtenant une loi[5], n'ont remporté qu'une victoire en trompe-l'œil.

L'adoption des plans d'égalité, *recommandation* et non *prescription* de la loi, laisse 98 % des femmes concernées, hors de toutes procédures de rattrapage (vingt entreprises seulement ont adopté cette loi). Et, entre le salaire moyen des hommes et des femmes, le même écart intolérable : 35 %.

Comme le timide amendement pénalisant le harcèlement sexuel, que viennent d'adopter les députés[6], n'empêchera guère les patrons et supérieurs hiérarchiques de toutes sortes de sévir contre les femmes et leur dignité.

Et cela d'autant plus que les associations de femmes n'ont toujours pas obtenu le droit d'aller en justice au nom des femmes salariées et à leurs côtés.

Une autre démocratie

Les Constitutions et les lois n'ont pas empêché les inégalités sexuelles de régir, *en pratique*, les rapports humains. Et de faire du pouvoir politique la chasse gardée des hommes.

Définir la démocratie comme égalitaire, sous le prétexte que ce pouvoir échoit aux représentants du peuple, c'est oublier que le peuple est constitué

de citoyens ET de citoyennes — les deux grands
genres de l'humanité —, et que le citoyen
N'EST PAS la citoyenne. L'impressionnant arsenal
de textes proclamant l'égalité des sexes rend plus
éclatant encore le hiatus entre la proclamation ver-
tueuse et la réalité discriminante.

On constate... on déplore... puis on se résigne. Et
comme il faut un coupable, on dénonce les mentalités. Or, on ne change pas les mentalités en légifé-
rant, d'ailleurs on l'a beaucoup fait, donc rien à
faire qu'à attendre — tranquillement — qu'« elles »
changent, les mentalités ! Boucle bouclée. Constat
d'impuissance. Bonne conscience en prime.

C'est pourtant du sens même de la démocratie
qu'il s'agit. En termes généraux, n'est démocratique
que la société où chaque individu jouit d'un pouvoir égal à participer à sa construction. Dans le système politique *stricto sensu,* chaque individu doit
— à chaque niveau du pouvoir — décider de son
avenir dans son pays et dans le monde.

L'universalisme *semble*, dans l'abstraction de ses
principes, répondre à toutes les exigences d'une
démocratie égalitaire entre les sexes.

En réalité, comme le démontre magistralement
Elisabeth Sledziewski, ce discours opère envers les
femmes à la fois un *déni* et une *dénégation*[7].

Déni, car il y a refus de prendre en compte la réalité de l'être social dans sa « sexuation ». La
citoyenne n'est pas le citoyen et l'affirmation d'une
identité égalitaire engendre une égalité réductrice,
qui identifie tous les individus, quelle que soit leur

spécificité, les uns aux autres. Une égalité pro-
clamée dont le boomerang constitue la plus per-
verse et la plus condamnable des injustices. Ce
qu'on appelle communément « une politique égalitaire » ne peut fonder une société morale. Parce que
la société doit, en même temps qu'elle construit une
pratique d'égalité, ériger des barrières contre la destruction de l'individu en soi. Et lui donner les
moyens d'affirmer sa véritable identité et de refuser
victorieusement le laminage de sa propre différence.

Que l'on ne prétende surtout pas que les Droits
de l'Homme et du Citoyen englobent, dans leur
généralité, les deux sexes. L'Histoire a déjà — dans
le refus à la femme de droits politiques — souligné
clairement le contraire[8]. On sait d'autre part
combien l'abstraction que l'on voudrait universa-
liste (en disant Homme, on dit hommes ET femmes)
est calquée sur un modèle qui, en définitive, est
culturellement *masculin*, et non pas *neutre*.

Dénégation, car affirmer l'universalisme des
droits, c'est nier l'existence de discriminations
sexuelles. C'est dire que loi et pratique coïncident
pour la plus parfaite égalité entre les sexes.

En cela, l'universalisme des droits n'engendre
qu'une universalité trompeuse. L'humanisme, qui a
phagocyté la femme sous le prétexte de la fondre
dans l'individu — masculin — constitue le piège le
plus redoutable de nos démocraties modernes.

*

Il faut redéfinir l'idée de la démocratie, dont la différence des sexes doit être le ressort décisif. Refuser bien sûr aux xénophobes, racistes, sexistes, la faculté d'induire, de l'existence d'une différence physique, un statut d'infériorisation. Et pour les combattre, redonner à cette différence son contenu ambivalent (existence *égalitaire*, existence *autre*) de réalité objective, susceptible de fonder une autre société.

Car la société qui est la nôtre aujourd'hui, n'est pas une société mixte. Elle se construit sur une maquette unique, celle de l'homme. Son projet demeure, pour l'essentiel, masculin.

*

Une politique des quotas

Ce sont ces « idéaux » qui, dans les sociétés industrialisées[9], ont permis au pouvoir politique d'être un monopole masculin. Quelques exceptions de participation féminine[10] renforcent, par leur rôle d'alibi pour de telles pratiques, le véritable *apartheid* sexuel.

Il faut donc une politique volontariste.

On aura beau jeu, pour s'y opposer, de brandir les Constitutions et leur universalisme. Mais les droits de l'homme ne seront jamais ceux de la femme tant que la *pratique*, faisant explicitement état de la *différence sexuelle*, ne décidera pas de moyens propres à créer une égalité de droits.

Car, à quoi sert un droit proclamé depuis un demi-siècle (l'accessibilité des femmes au vote et à l'élection politiques[11]), s'il se traduit par une absence aussi éloquente des femmes dans les assemblées élues ?

La pratique des quotas[12] n'est en rien contraire aux textes constitutionnels et législatifs. Elle refuse l'hypocrisie, car elle fait sien le constat d'une inégalité sexuelle, et propose, justement comme le proclament les textes universalistes, d'étendre l'égalité aux deux moitiés de l'humanité.

Signalons au passage que définir cette moitié du ciel comme une « catégorie » ou une « corporation », ainsi que s'entêtent à le faire les adversaires de toute mesure de pratique égalitaire, relève de l'absurde et de la méconnaissance de la grande règle qui permet la perpétuation de l'espèce : l'existence des deux genres qui incluent, chacun, toutes les « catégories » ou « corporations ». Aucun clivage ne comporte les caractéristiques uniques, « inclassables » dans leur spécificité comme celui des sexes.

En théorie, on peut naître ouvrier et devenir chef d'entreprise (changement de classes socio-économiques), subir un grave handicap et guérir (changement de groupe), ou inversement. Les jeunes vieilliront et seront donc, selon les époques, d'une catégorie ou d'une autre. Les appartenances raciales ou les couleurs de peau — il est vrai — ne permettent pas de changer de camp. Comme le sexe.

Mais la différence irréductible entre ces clivages

tient au fait que toutes les races, couleurs etc. bien qu'invariables, font *partie de chaque grande moitié de l'humanité*, hommes ou femmes, sans que la règle inverse puisse jouer.

La ligne de partage sexuel — la mixité — n'est assimilable à aucune autre.

De ses différences, de ses contradictions, le pouvoir politique doit s'enrichir. Cela s'appelle le socle de l'égalité réelle.

Dans une société qui se veut égalitaire, le propre de la justice est de promouvoir les mesures pratiques qui corrigeront les inégalités de la nature : pauvreté, vieillesse, handicaps, etc. Tout le droit social, par exemple, procède d'une volonté d'affranchir le salarié des rapports de domination économique que l'employeur peut faire peser sur lui. *« Entre le fort et le faible, c'est la liberté qui opprime, et la loi qui affranchit »,* écrivait déjà Lacordaire. La loi. Il faut une loi. Et cela n'a rien de choquant. Sauf à être naturaliste (la loi de la jungle) ou angélique (la bonne cause l'emportera parce qu'elle est bonne), force est de reconnaître que toute société ne se structure et ne vit que par des règles, des textes, des lois. Gommer des privilèges, neutraliser des rapports de force, inventer la solidarité, bref, passer de l'état de l'homme des cavernes à celui de la personne humaine, porteuse et génératrice de droits et de devoirs, implique l'intervention de la loi. Programme qui conditionne la marche d'une société vers plus de civilisation, de progrès moral.

Les droits de l'Homme, dit en substance le Professeur Hamburger[13], sont nés d'une admirable rébellion de l'homme contre la nature.

Le concept nouveau du *respect de l'individu* le sépare définitivement de l'animal. Ce chemin « dévié » de la stricte exigence de survie de l'espèce et de ses lois de commande génétique constitue un *pari* : celui que l'intelligence et la liberté de l'homme l'emporteront sur l'ordre biologique « naturel ». En créant des normes éthiques, il donne à la vie humaine un sens, une originalité spécifiques. En somme sa noblesse. Nous avons acquis les droits de la personne humaine, le droit du travail, le droit à l'avortement, le droit contre le viol... Pourquoi pas le droit à une démocratie, plus juste et plus égale, pour les femmes ?

Imposer, *par la loi*, la parité des sexes dans les instances décisionnelles et délibératives de la démocratie en est, précisément, le moyen privilégié. Pourquoi la loi n'édicterait-elle pas, devant l'échec *du principe* de la participation égalitaire des femmes, des mesures propres à *contraindre* au changement du pouvoir politique par son partage entre hommes et femmes ?

Une contrainte dont la justification tient en deux mots : *justice* et *morale*.

Tels sont le sens et la portée du principe des *quotas*.

L'instinct maternel contre l'échange des rôles

Les femmes font masse dans le monde du travail : près de 44 % de la main-d'œuvre dans les pays industrialisés[14]. Or la naissance d'un enfant pour un couple qui travaille produit, inexorablement, une régression de l'insertion socio-économique de l'un des deux parents. Lequel ? Devinez ? La mère — car il s'agit bien d'elle — se trouve acculée à l'inextricable double ou triple journée de travail. Demi-mal si ne l'investissait pas, dans le même temps, culpabilisante au point de faire chanceler un équilibre devenu (forcément) précaire, la *tradition*. Une mixture étrange et pourtant homogène où se fondent religions, culture judéo-chrétienne (bien que laïque), récits de nos aïeules, commandement de nos hommes, train-train de la voisine, hymne au *vrai* foyer (l'homme à la production, la femme à la reproduction). Fatras aussi composite qu'impérieux. La femme qui *abandonne* (à la nourrice, à l'inespérée place de crèche, à la gardienne, etc.) sa progéniture pour rejoindre son bureau ou son usine finit par lire dans son miroir le reflet du regard des autres. Les orthodoxes, les censeurs, les juges. Elle se vit alors comme elle se voit. Désormais, mauvaise mère, femme contre-nature, être monstrueux. Pourtant, nous savons bien, pour l'avoir vécu et le vivre encore, que *l'amour-instinct-maternel* n'existe pas. Un conditionnement culturel puissant nous fait attendre le bonheur d'être mère. Nous enseigne que, pour devenir une femme achevée, complète, il faut vivre jusqu'au bout son destin biologique.

La suggestion est si forte que, dès que le nouveau-né est présenté à l'heureuse maman, il « reconnaît » le sein, s'y précipite, et que ledit sein frémit alors d'amour *instinctif*. Imaginons que le nouveau-né soit celui, accouché au même moment, de la voisine d'hôpital ? Croyez-vous que l'erreur — non découverte — empêchera une têtée heureuse et l'extase de la nourricière ? On peut presque affirmer que la même euphorie, les mêmes attendrissements (« tout le portrait de son père ») inonderont mère, père et sainte famille...

L'amour maternel existe pourtant. Je l'ai rencontré. Trois fois, dans mes exploits de génitrice. Mais je sais, après une auto-analyse profonde, et l'écoute d'autres femmes qui voulaient aller au-delà de l'apparence culturelle, je sais qu'il est fait, cet amour, d'une attente remplie — le poids de l'environnement, le devoir, la morale « naturelle » —... ET d'un amour. Qui, comme tous les amours, ressortit à la contingence. Qu'il est fait de conflits passionnels et de plénitude affective, de rejet et de solidarité.

Le thème souffre d'être encore tabou, malgré de sérieuses études[15], et de s'exprimer insuffisamment parce que à contre-courant d'un conformisme puissant.

Induire l'amour maternel chez les femmes à partir d'observations faites sur les animaux — observations d'ailleurs contestables — me semble relever du mépris. Car c'est supposer que rien, ni l'intelligence ni la conscience, ne sépare les femmes de l'animalité.

Toujours est-il que, véhiculée par ces mythes et les véhiculant, la jeune mère qui s'entêterait à cumuler amour maternel et sauvegarde de son indépendance économique, courra droit (sauf pour une classe de revenus élevés) au découragement et à la déprime.

Le casse-tête demeure.

Mais puisque nous sommes deux — l'homme et la femme — à procréer[16], pourquoi ne pas instaurer un *juste* partage des tâches ?

Juste veut dire, ici, *autre*. Autre, parce que cassant la division atavique des rôles. Parce que inventant, à travers l'interchangeabilité des attitudes traditionnelles, une nouvelle relation triangulaire — mère, père, enfant —. Il serait faux d'imaginer que le changement ne serait libérateur que pour la mère. L'homme, que les masques virils tiennent éloigné du quotidien d'un foyer, y découvrira d'autres critères aux lois qui mènent le monde. Et à son plaisir de père.

Il réalisera que ses privilèges, qui l'ont « préservé » des travaux échus à la femme[17], l'ont peut-être aussi frustré d'émotion, de complicité, de tendresse.

L'identité masculine, incontestablement en crise, pourrait trouver ainsi la voie d'un autre dessin/dessein.

Les parents « interchangés » sont plus proches entre eux et plus proches de l'enfant. Une solidarité originale et forte les soude l'un à l'autre.

Mais surtout, ce changement en implique d'autres, en chaîne. Élever « à deux » un enfant dès le berceau, à tour de rôle et ensemble, peut changer la *nature* même de son éducation, et donc fabriquer un autre adulte, demain.

« *L'enfant se détermine en fonction non pas de son sexe biologique, ni même de ses caractères sexuels extérieurs, mais* en fonction de son éducation et de l'attitude de son entourage. *L'auto-détermination sexuelle serait terminée dès l'âge de 18 mois pour certains, de 3 ans pour d'autres*[18]. »

L'affectivité de l'enfant — et ses conflits avec son entourage s'en trouveront heureusement dilués, et modifiés. Voilà déjà une « adresse », un terrain culturel où peut se mener la bataille contre ces fameuses mentalités-alibi[19]. Un couple « interchangé » se comporte autrement, de même que l'homme ou la femme élevé par lui, à la différence de celui élevé hégémoniquement par l'un des deux parents, presque toujours par la mère. Sautent en effet les carcans d'attitudes stéréotypées dues au fossé des genres et à la division des tâches. Même entrevu, un monde sans ségrégation constitue un levier pour une autre culture.

Le mouvement *Choisir* avait tenté d'insuffler une dynamique. Modestement, mais non innocemment, le projet[20] ne concernait que quelque 300 000 couples potentiels. Votée, la loi aurait servi d'expérience sous bénéfice d'inventaire.

Reconnue bonne, elle eût, en douceur, initié l'innovation relationnelle entre hommes et femmes, entre parents et enfants. Un changement de société par le changement de sa culture. Mauvaise ou refusée par les couples, elle ne créait pas l'irréversible et ouvrait des champs nouveaux à la réflexion.

Mais la promesse — comme tant d'autres — ne fut pas tenue[21]. Question de crédit, répondit-on... à peine. Question de changement de priorités, rétorquèrent les féministes. Question de projet *autre* de société.

Les gouvernements ont dilapidé d'énormes crédits dans l'armement des sous-marins nucléaires. La « guerre des étoiles » risque de les rendre anachroniques.

L'environnement massacré par les sites nucléaires, l'oxygène pollué par l'incurie des responsables politiques, les mers noires de goudron, voilà, entre autres exemples, ceux d'une mauvaise politique par le choix des priorités, par le blocage persistant de vieux schémas budgétaires.

*

Dis, maman, le féminisme, c'est quoi, aujourd'hui ?

Le féminisme aurait d'abord, aujourd'hui, comme priorité, le changement des priorités. Et devrait convaincre qu'un autre partage des rôles, un autre environnement et surtout une autre démocratie sont l'espérance du futur.

Est-ce à dire que les « acquis » peuvent être laissés à l'usage confiant de leurs bénéficiaires ? Que les batailles gagnées, scelleraient, comme par osmose avec les mœurs nouvelles, les pages de l'action des féministes d'hier ?

Je ne le crois pas.

Je crois au contraire que les acquis ne l'étant jamais définitivement (surtout ceux des femmes), les batailles continuent, s'entremêlent et se prolongent l'une l'autre. Que le devoir de vigilance des femmes pour le passé fait la courte échelle aux espaces nouveaux à conquérir, demain.

Ainsi, le droit de choisir ses maternités, n'est-il pas ce vieux fleuve tranquille que les passéistes nous ressassent, pressés d'écrire les épitaphes des mouvements féministes de ce dernier quart de siècle.

Et cela encore. La contraception, qui permet de prévenir, de planifier et même de refuser une grossesse — donc, le véritable instrument de liberté — fait l'objet de sournoises manœuvres. La pilule, jadis dénigrée (risques de cancer, de prise de poids, de calvitie, etc.), court aujourd'hui le risque de ne plus être remboursée.

Du moins, certaines pilules dont le Ministère de la Santé a dressé officiellement la liste — resteront à la charge de l'utilisatrice[22].

Quant à l'avortement, il subit régulièrement en France les coups de boutoir des mouvements « Laissez-les vivre » et de ses succédanés[23].

Quelques initiatives marquèrent ainsi le retour de la droite aux affaires, en 1986. L'une des plus urgentes pour elle fut, semble-t-il, de tenter, par le biais de la discussion de la loi des finances[24], la sup-

pression du remboursement de l'I.V.G. par la Sécurité Sociale. Attaque à peine frontale. Les femmes,
comme par un réflexe conditionné, les vieilles et les
jeunes, les politiciennes et celles qui ne l'étaient
pas, descendirent, re-descendirent dans la rue. Le
pouvoir recula. L'amendement disparut de l'ordre
du jour de l'Assemblée Nationale. Toujours à
l'Assemblée Nationale, un groupe de députés[25],
sous le couvert d'une demande de commission
d'enquête sur les procédés nouveaux permettant
l'avortement, s'attaquèrent au RU 486[26] et à son utilisation.

Combat d'arrière-garde, toujours le même. Mais
avec de nouvelles perspectives : empêcher la femme
d'accéder à toute expérience ou découverte scientifique qui faciliterait la maîtrise de sa procréation.

Qu'elle paye, dans tous les sens du mot, y compris
celui de la religion, son obstination à préserver ses
libertés fondamentales.

Las de ce train-train démocratique qui s'est soldé
finalement par des échecs, les « anti-avortements »
passent aujourd'hui à l'action. Je veux dire à la violence.

Des commandos terroristes investissent des cliniques et des hôpitaux où se pratiquent — conformément à la loi — des I.V.G.

Éprouvettes cassées, matériel souillé, prophylaxie
irrémédiablement compromise, appareils et tables
gynécologiques détruits, ils se livrent à un véritable
saccage. Ce qui nourrit ainsi cette fureur anormale,
c'est la volonté de détruire — au-delà de l'impératif

médical — les symboles d'un droit, pour eux, diabolique. Surprise dans la population, tiédeur du pouvoir. Absence de surveillance et de juste répression. Force ne reste pas à la loi, le pouvoir socialiste laissant ces brèches intégristes se multiplier en France. *Choisir* protesta[27]. D'autres aussi.

À quoi servent les féministes, demandez-vous toujours ?

À dire, par exemple, que les droits conquis hier ne céderont pas au terrorisme d'aujourd'hui. Qu'il y va de la liberté de tout citoyen et citoyenne de choisir sans contraindre l'autre.

Qu'il y va du sens même de la démocratie.

Que tout combat féministe, même apparemment terminé, contribue au respect de l'autre, à la laïcité de notre République, bref, à la marche générale du progrès.

Rappelez-vous ces commandos incendiant les cinémas qui projetaient le film de Martin Scorsese, *la Dernière Tentation du Christ*[28]. Ne trouvez-vous pas qu'ils ressemblent comme des frères siamois aux terroristes qui assaillent les hôpitaux où se pratique l'avortement ? L'exemple leur est venu de haut et de loin. Les U.S.A., après l'échec de « l'Equal Right Amendement » ont mobilisé leurs escadrons « *antiabortion* ». Les présidents Reagan et Bush firent campagne sous le signe du puritanisme et du retour à l'ordre moral. Les commandos ont engrangé, avec l'aide suprêmement bienveillante de la Cour Suprême, dont la jurisprudence tend à restreindre le droit à l'avortement en même temps qu'elle étend celui, pour certains États (36 sur 50), d'exécuter les condamnés à mort.

La loi, il faut le rappeler avec force, ne contraint personne à l'avortement, qu'elle se contente d'autoriser. Celles qui croient au ciel et celles qui n'y croient pas feront leur choix, en toute liberté, en toute conscience.

Mais, voilà, ces mots heurtent encore. Surtout s'il s'agit de la liberté des femmes, et que des bouleversements politiques ajoutent, par leur complexité, aux données premières.

À l'Est, bien du nouveau.

Le socialisme stalinien se défait, les républiques soviétiques sortent de l'Union, les pays satellites, comme des places fortes soufflées par les cyclones de l'Histoire, rejettent l'allégeance à l'U.R.S.S. Avec quelques variantes, la Pologne, la Hongrie, la Tchécoslovaquie, la Roumanie congédient les pères de toutes les révolutions, Marx et Staline, et rêvent de s'ouvrir aux délices de l'économie occidentale.

Quant à l'Allemagne, elle supprime le double langage : le couple ennemi, R.D.A.-R.F.A., fusionne. Unité, amour, marché, toujours.

Dans le même temps, les difficultés pour les femmes commencent.

En Pologne, le nouveau président Lech Walesa, hostile à l'avortement, et soutenu par le Pape Jean-Paul II[29], favorise toute initiative tendant à annuler la législation très libérale de 1957[30], et cela dans un pays où la contraception est inexistante.

La loi fédérale de Bonn ne permettait l'avortement que thérapeuthique (malformation du fœtus ou vie de la mère en danger) ou pour indications sociales. Celle de l'Allemagne communiste, de 1972, au contraire très libérale, autorisait l'avortement sur simple demande de la femme. Solution de compromis : on tranchera en 1992. En attendant, statu quo[31]. Et après ? Retour à la case départ ou bataille gagnée par un moratoire ?

À suivre... Par les féministes, justement, toujours elles, qui, entre autres acquis, ont appris la solidarité, dans ce monde de ruptures.

*

Le féminisme ? Une politique et une culture

Récapitulons.

Si les acquis des femmes portent — comme la marque de la précarité — l'étiquette « *attention, menace permanente* », alors le féminisme se confond aujourd'hui avec une fonction de vigilance.

Mais le réduire à ce rôle serait oublier sa raison d'être pour demain. J'écrivais, en 1973, en conclusion à ce livre, que les femmes avaient la responsabilité d'impulser une nouvelle dynamique de changement de notre société. Comment ? En assemblant patiemment le puzzle de nos acquis, apparemment morcelés, pour découvrir le fil conducteur de ces combats.

Retrouver nos racines. Racines qui, en émergeant,

bousculent celles du vieux monde. Recouvrent, petit à petit, les structures des rapports humains d'aujourd'hui, produits encore par la culture patriarcale.

Le féminisme permet une conquête des femmes sur elles-mêmes, sur l'incertitude initiale de leur propre identité. Enfermée dans son rôle féminin, la femme ne mesure pas à quel point son oppresseur est lui-même prisonnier de son rôle viril. En se libérant, elle aide à la libération de l'homme. En participant à égalité à l'Histoire, elle la fait autre. Éradication du rapport de domination d'un sexe par l'autre. Déplacement réciproque des rôles.

Cela ressemble fort à une révolution, vous ne trouvez pas ? Une révolution tranquille, certes. Et qui va son chemin malgré les dissertations médiatiques sur l'épuisement de la super-woman (qui a jamais parlé de doubler le superman de son homologue féminin ?), la solitude de fond de la féministe, la déroute de nos mâles devant leurs égales (quel aveu d'impuissance...) et autres fariboles du même genre.

Pourquoi le féminisme aujourd'hui ? Justement pour réussir là où l'égalité économique a échoué.

Là où la culture patriarcale résiste.

Le féminisme vient seulement de commencer sa longue marche.

Dans vingt ans, dans cent ans, il aura changé la vie.

NOTES

1. Bossuet, *Élévations à Dieu sur tous les mystères de la religion chrétienne* (5ᶜ *Semaine*, 2ᶜ *Élévation*). Paris, chez Jean Mariette, 1727.

2. Cf. Luce Irigaray, *Sexes et Parentés*. Paris, Éditions de Minuit, 1987.

3. Luce Irigaray, *le Temps de la différence*. Paris, Librairie générale française et Livre de Poche, 1989.

4. La loi du 23 décembre 1980 (texte en annexe, p. 276) a suivi en grande partie les revendications de *Choisir* lors du procès d'Aix-en-Provence, que le mouvement avait pris en charge en 1977 (cf. *Viol : le procès d'Aix-en-Provence*. Gallimard, 1978, collection « Idées »). Reste le problème de l'enquête de moralité à laquelle est encore soumise la victime de viol. Voir proposition de loi demandant la suppression de cette enquête (texte en annexe, p. 283).

5. Loi sur l'égalité professionnelle du 13 juillet 1983.

6. *Art.* 225-3-1 du *Code pénal* : « Le fait de solliciter, par ordre, contrainte ou pression des faveurs de nature sexuelle, commis par tous moyens par une personne abusant de l'autorité que lui confèrent ses fonctions à l'occasion ou dans l'exercice de l'activité professionnelle de la victime, est puni d'un an d'emprisonnement et de 100 000 F d'amende. » (Séance de l'Assemblée Nationale du 21 juin 1991.) Texte qui devrait être complété par l'introduction dans le *Code du travail* de la notion de harcèlement sexuel exercé par un supérieur hiérarchique. Cette réforme, proposée par Véronique Neiertz, secrétaire d'État aux

droits des femmes, pourrait être examinée par le Parlement au printemps 1992.

7. Rapport sur *les idéaux démocratiques et les droits des femmes* (Séminaire sur *la démocratie paritaire*, Conseil de l'Europe, Strasbourg, 6-7 novembre 1989).

8. En effet, *la déclaration des Droits de l'Homme et du Citoyen* de 1789 refusa aux femmes ces droits essentiels, et elle laissa même subsister l'esclavage, qui ne fut aboli que par le décret du 16 pluviose an II (1794), c'est-à-dire après la proclamation de la République.

9. Tableau encore plus dramatique dans les pays en voie de développement.

* En Jordanie (où l'intégrisme islamique se développe) 12 femmes étaient candidates aux élections législatives du 8 novembre 1989. Aucune ne fut élue.

* En Algérie, l'Assemblée Nationale comptait, jusqu'en décembre 1991, 7 femmes sur 295 députés (2,4 %).

* En Hongrie, 28 femmes sur 386 députés (7,2 %) en 1990 (en 1985, 80 femmes élues soit 21 %).

10. Femmes élues dans les assemblées parlementaires en France et dans les autres pays de la Communauté européenne : en tête, les *Danoises* (30,7 %) et les *Hollandaises* (21,3 %) ; puis les *Allemandes* de l'ex-R.F.A. (15,4 %), les *Luxembourgeoises* (10,9 %), les *Italiennes* (10,7 %), les *Portugaises* (10 %), les *Irlandaises* (8,4 %), les *Belges* (8,3 %), les *Espagnoles* (7 %) ; et enfin les lanternes rouges : les *Anglaises* (5,8 %), les *Françaises* (4,7 %) et les *Grecques* (4,3 %).

11. Les Françaises ont obtenu le droit de vote et d'éligibilité par une ordonnance du Gouvernement provisoire en date du 21 avril 1944. Elles ont voté pour la première fois lors des élections municipales d'avril 1945.

12. À titre d'exemple, les *quotas* de participation en matière électorale ont été instaurés en France par la loi n° 82-974 du 28 juillet 1982. J'ai moi-même proposé à l'Assemblée Nationale un amendement au *Code électoral* qui précisait que « *les listes de candidats ne peuvent comporter plus de 75 % de personnes du même sexe. Cette proportion s'apprécie au sein de l'ensemble de la liste et au sein de chaque groupe entier de douze candidats dans l'ordre de*

présentation de la liste ». Amendement repris par le groupe socialiste, adopté et voté pratiquement à l'unanimité (476 députés sur 491) et voté au Sénat. Mais le Conseil Constitutionnel, par décision du 18 novembre 1982, annula cette disposition, au motif qu'elle était contraire à la *Constitution Française* (*article* 3) et à la *Déclaration des Droits de l'Homme et du Citoyen* (*article* 6), « *considérant que la règle qui, pour l'établissement des listes soumises aux électeurs, comporte une distinction entre candidats en raison de leur sexe, est contraire aux principes constitutionnels* ».

13. Colloque sur *les Droits de l'Homme*, Strasbourg, Conseil de l'Europe, 17-19 avril 1989 (*Actes* du colloque publiés par Arlington, Strasbourg, 1990).

14. En France, aujourd'hui, plus de sept femmes sur dix (entre 25 et 44 ans) ont ou recherchent un emploi ; deux mères de famille sur trois exercent une activité professionnelle.

Mais l'éventail des professions féminines est réduit, et les femmes sont plus nombreuses dans les emplois moins qualifiés : 75 % des employés, 42,6 % des professions intermédiaires, 20 % des cadres supérieurs et ingénieurs dans les entreprises.

15. Elisabeth Badinter, *l'Amour en plus. Histoire de l'amour maternel (xiie s.-xxe s.)*. Paris, Éditions Flammarion, 1980 et Livre de Poche, 1982.

16. Tous les progrès de la science pour remédier aux stérilités des couples (insémination artificielle, bébé éprouvette, etc.) ne modifient en rien l'équation génétique.

17. Les « nouveaux pères » modifient un peu le paysage mais sont, hélas, encore très peu nombreux.

Moyenne de participation masculine : linge : 1 à 2 % ; ménage 13 % (cf. B. Zarga, *Économie et Statistiques* n° 228, janvier 1990).

18. Margarete Mitscherlich. *La femme pacifique : étude psychanalytique de l'agressivité selon le sexe*. Paris, Des Femmes, 1988.

19. Que les comportements des hommes et des femmes se rapprochent est jugé une « mauvaise chose » par 26 % des femmes (30 % des moins de 24 ans). Par ailleurs, si les femmes sont satisfaites d'occuper des territoires traditionnellement dévolus aux hommes, la participation masculine à la vie de famille semble être désirée surtout pour les occupations de caractère abstrait : scolarité (55 %), budget (37 %). Le ménage, elles veulent bien

(34 %), mais pas la toilette des enfants (12 %) (sondage Sofrès, le *Nouvel Observateur,* 6 décembre 1990, cité par Francine Comte *Jocaste délivrée*, Paris, La Découverte/Essai, 1991).

20. Il s'agissait d'un projet de congé parental pour la garde des enfants de 0 à 2 ans, que nous avions appelé « congé d'éducation conjointe, alterné entre le père et la mère, et rémunéré » (qui s'ajouterait au salaire unique du parent en activité). *Congé rémunéré seulement s'il est pris à périodes égales par le père et la mère.* L'allocation de congé parental serait alors fixée à 40 % de la moyenne des deux salaires à plein temps (afin de compenser la différence entre salaire du père — généralement plus élevé — et salaire de la mère), ce qui revient à garantir le maintien à 90 % des revenus de pleine activité du ménage. (Proposition de loi à l'Assemblée Nationale, en 1984, que j'ai moi-même déposée.)

Proposition qui ne fut jamais inscrite à l'ordre du jour et des discussions.

21. François Mitterrand, interrogé par *Choisir* alors qu'il était candidat à la présidence de la République, avait répondu : « le congé parental est l'une des propositions auxquelles je tiens le plus (...). Il faut donc qu'il y ait un congé parental, que ce congé puisse être alterné, à mi-temps s'il le faut, et qu'il puisse être rémunéré » (*Quel Président pour les femmes ?* Paris, Gallimard, 1981, Collection « Idées »).

22. Sur 27 pilules contraceptives disponibles actuellement, 13 ne sont plus ou pas remboursées : c'est-à-dire certaines pilules anciennes, ainsi que toutes les pilules les plus récentes (depuis 1984) et qui bénéficient des progrès de la recherche. Et le moment viendra peut-être où plus aucune pilule ne sera remboursée, si on retire du marché les anciennes qui le sont encore. Le gouvernement promet d'obtenir le remboursement d'une pilule dans chaque catégorie, mais...

23. Notamment : *Laissez-les vivre/S.O.S. Futures mères*, créé en 1971, et plus récemment : *S.O.S. Tout-Petits, Association pour l'objection de conscience à toute participation à l'avortement...*

24. 26 mai 1986.

25. Dont l'actuel Ministre de la Santé, Bruno Durieux, Marie-France Stirbois, du Front National, Christine Boutin, etc. Proposition de résolution du 6 juin 1990.

26. L'anti-hormone qu'est le RU 486 s'oppose à l'action de la progestérone (hormone indispensable à la continuation de la grossesse), ce qui provoque un avortement selon le même principe qu'une fausse couche spontanée. Découverte en a été faite par l'équipe du professeur Étienne-Émile Beaulieu, qui l'a présentée devant l'Académie des Sciences le 14 avril 1982. Le RU 486 a été mis sur le marché en France le 23 septembre 1988.

27. « *Choisir la Cause des Femmes* rappelle que la loi qui a institué l'I.V.G. n'oblige aucune femme à y recourir. Mais, parallèlement, dans un État de droit, nul ne peut s'opposer, par la violence, aux textes démocratiquement votés » (Communiqué à la presse du 19 décembre 1990).

28. Comme aux États-Unis, la sortie du film a déchaîné en France, dès le 28 septembre 1988, de violentes manifestations : défilés à Paris et en province à l'appel de catholiques intégristes — notamment l'abbé Philippe Laguérie — et de membres du Front National ; jets de bombes lacrymogènes par des commandos catholiques dans les cinémas et même, le 23 octobre, incendie criminel d'un cinéma du Quartier latin, qui a fait un mort (par crise cardiaque), une dizaine de blessés. Les auteurs de ce crime encouraient la peine maximale, c'est-à-dire la réclusion criminelle (depuis l'abolition de la peine de mort).

29. Le Pape qui, au cours de son voyage en Pologne, en juin 1991, n'a pas craint de comparer l'I.V.G. au génocide des Juifs pendant la Seconde Guerre mondiale.

30. Notamment le vote au Sénat, le 29 septembre 1990, d'une loi interdisant l'avortement et prévoyant jusqu'à deux ans de prison pour les médecins qui pratiquent l'I.V.G. Mais la Diète (Chambre des députés) n'a pas encore voté ce texte répressif. Et la récente décision du congrès des médecins d'introduire dans son nouveau code la limitation des avortements aux cas de viol ou de danger de mort pour la mère vient d'être dénoncée (début janvier 1992) par le « médiateur » polonais, Ewa Letowska.

31. Ou, plutôt, dégradation de la situation dans l'ancienne R.D.A. : des médecins, de plus en plus nombreux, refusent de pratiquer les I.V.G.

LA FEMME ENFERMÉE[1]

Ce livre, je l'ai écrit pour convaincre. Pour convaincre ceux et celles dont la tâche, dans une démocratie, est de faire et de défaire des lois. Les parlementaires, donc. Il y avait urgence. Dans la France de 1973, la stérilité, la septicémie, la mort frappaient les femmes qui ne pouvaient rejoindre les cliniques d'Angleterre et de Suisse pour avorter. La loi de 1920 (ancien art. 317 du Code pénal) répressive, anachronique, obligeait à la clandestinité — clandestinité qui, pour toutes les femmes économiquement défavorisées, engendrait le drame, quand ce n'était pas la tragédie. Pour toutes, c'était la culpabilisation, le silence, la honte souvent.

Le procès de Bobigny. Les accusées devinrent accusatrices. Dans la tradition des procès « politiques », elles surent tout naturellement grandir

1. Préface à l'édition de 1978. Il sera intéressant de comparer aux statistiques qu'elle comporte, les chiffres plus récents donnés en notes et dans le reste de l'ouvrage.

jusqu'à devenir les porte-parole de toutes les femmes. Celles qui revendiquaient une liberté élémentaire s'il en est — disposer de soi, CHOISIR de donner la vie. Par-dessus la tête des magistrats. Michèle Chevalier et ses compagnes s'adressèrent à tous et à toutes, à l'opinion publique, à la France entière. La loi qui nous mutilait physiquement et moralement fut mise en pièces. Les partis politiques, distraits jusque-là, s'émurent. Le Parlement entreprit de modifier la loi. Le gouvernement présenta un projet qui ne fut voté que grâce à l'apport massif des voix de la gauche. La loi Simone Veil, promulguée le 17 janvier 1975, malgré son application difficile, est une importante victoire des femmes. Un verrou essentiel du carcan a, ce jour-là sauté.

Et après ? Et maintenant ?

Lutter pour s'appartenir physiquement semblait à toutes d'une évidente nécessité. Mais l'erreur eût été de faire de cette bataille une fin alors qu'elle n'est que l'étape qui, franchie, dévoile les batailles futures : le travail, l'éducation, l'indépendance économique, l'insertion dans la vie politique...

Aussitôt, la difficulté est apparue. Notre démarche n'était pas une sorte de « donnée immédiate ». Beaucoup de femmes la ressentaient comme non vitale, secondaire, quelquefois même obscure. Il fallut l'expliquer, explication toujours recommencée : d'abord son contenu multiforme, coiffant plusieurs domaines, exigeait analyse et synthèse. Et puis, des réformes, encore des réformes, est-ce bien là notre stratégie ? Nous, les féministes de *Choisir* proclamons qu'il n'est pas de changement radical de société sans nous. Alors ?

À cette objection, je répondrai que poursuivre des réformes est quelquefois le meilleur moyen de conjurer le réformisme. Et que les réformes, s'agissant des femmes d'un pays à économie libérale et à culture patriarcale, sont, à plus ou moins long terme, révolutionnaires. Si j'ai comparé la condition féminine à un iceberg, c'est justement parce que tout s'entremêle, tout achoppe, tout accroche, tout dérange finalement. Jusqu'à l'invisible, jusqu'à l'indicible. Jusqu'aux racines immergées : la culture, la création, la famille, l'amour, l'homme enfin. Autant de rapports fondamentaux et masqués.

Et si j'ai raconté quelques traits de mon enfance et de mon apprentissage de femme, c'est que je voulais dire aux autres femmes — surtout aux plus vulnérables d'entre elles — que pour durs et inextricables qu'ils aient pu apparaître, mes chemins m'ont menée vers elles et la lutte commune. Que la faiblesse devient force quand naît la conscience. Et que de cette force consciente doit naître la femme adulte.

La Cause des Femmes voulait donc, veut, au-delà de la contraception et de l'avortement, donner tout son sens à notre liberté physique. C'est-à-dire faire éclater nos prisons, nos « *enfermements* » qui se complètent, se nourrissent l'un l'autre, convergent dans une tautologie subtile.

Bouclée au foyer, surexploitée au travail, éloignée de la décision politique, niée dans ma sexualité, conditionnée par la culture et les *mass media*, je me présente. Je suis la Femme Enfermée.

*

Enfermée, la femme au foyer l'est dans tous les sens du mot. Astreinte à des tâches répétitives, sans ouverture sur le monde réel. Celui où se jouent et se prennent les décisions, celui de l'économie, de la politique, de la création, bref celui des hommes. La femme vit dans un monde parallèle, dans une sorte de ghetto. Monde dont l'activité est, de plus, décrétée « non productive ». Au nom de la science, au nom de Marx, la femme reléguée dans son foyer s'entend, de plus, dire que les journées où elle trime — linge, cuisine, repassage, aspirateur, etc. — sont des journées non incluses dans le P.N.B. (Produit National Brut). Travail invisible donc, une sorte de « caractéristique sexuelle secondaire de la femme » comme l'a souligné Isabel Larguia. Économiquement parlant, ce travail est non générateur de plus-value. Non salarié, il n'est pas coté sur le marché. Il ne fait donc pas l'objet d'une valeur d'échange.

Le raisonnement est-il si péremptoire qu'il en a l'air ? Je ne le crois pas. Marx a montré en effet que le *salaire n'était pas le prix de la force de travail du salarié, mais seulement celui de la reproduction de cette force* — dont les services domestiques sont naturellement une des composantes non négligeable.

Remplacez donc l'épouse-bonne-à-tout-faire par une employée de maison rémunérée et l'énorme somme de tâches accomplies par la femme chez elle prend ses titres de noblesse et s'insère dans le marché.

Mais attention ! Nous ne revendiquons pas pour autant le paiement du travail domestique de la femme. Qu'elle s'appelle « salaire maternel », « allocation spéciale » ou « unique » ou autrement, toute rémunération de ce travail est le type même de la mesure-piège qui consacrerait une insupportable ségrégation : celles entre les tâches dites « masculines » (nobles par définition) et celles dites « féminines » (secondaires, à peine perceptibles tant elles sont « naturelles »). Si le travail de la femme au foyer, bien que considérable (80 à 90 heures par semaine environ en France) est cependant sans *signification économique*, n'est-ce pas la preuve que l'exploitation qui nous frappe *spécifiquement* n'est pas seulement capitaliste mais aussi patriarcale ?

Les femmes qui travaillent à l'extérieur jouissent-elles d'une situation plus juste, plus égalitaire ? Hélas ! non. Bien que représentant 38,4 p. 100 de la population active (elles sont 8 300 000) elles subissent un autre *enfermement* : discrimination dans l'embauche, sous-qualification, absence de formation professionnelle, de recyclage. « À travail égal salaire égal » ? Malgré la solennelle proclamation de la Convention de Rome de 1957, malgré la loi du 22 décembre 1972, la règle est superbement ignorée. Les écarts entre salaires féminins et masculins sont importants, à égalité de compétence, de rendement, de travail effectif. Les femmes touchent un salaire global inférieur de plus de 33 p. 100 à celui de leurs compagnons.

Les femmes sont plus vulnérables à la crise. La majorité des chômeurs sont des chômeuses. Dans la pyramide du travail, les femmes occupent la base, c'est-à-dire les emplois sans responsabilité, sans pouvoir de décision, et évidemment les plus mal rémunérés[1]. Plus on s'élève dans la hiérarchie de l'économie, et plus la pyramide se masculinise. Au sommet, des hommes, « tout seuls »[2].

Si deux Smicards[3] sur trois sont des Smicardes, des femmes donc, est-ce le fait du hasard ou de la conjoncture ? Si la pauvreté des équipements sociaux, si la sclérose des mentalités masculines réfractaires à toute interchangeabilité des tâches au foyer soumettent la femme à la malédiction atavique de la double journée de travail, à qui la faute ? Et si le *choix* — rester au foyer ou travailler à l'extérieur — est un leurre, qui faut-il incriminer ?

D'abord notre politique économique et sociale déplorable, il est vrai. Mais aussi les préjugés masculins et le conditionnement des femmes. La fée du

1. Selon la dernière statistique du Secrétariat à la Condition féminine (mai 1976) pour 64 p. 100 des femmes qui gagnent un salaire inférieur à 1 900 francs par mois, on ne compte que 35 p. 100 d'hommes.

2. 6 p. 100 des cadres supérieurs seulement sont des femmes (rapport du Comité Travail féminin, septembre 1976). En 1991, on en compte 20 p. 100 (Secrétariat d'État chargé des droits des femmes).

3. Travailleur payé au SMIC (Salaire minimum interprofessionnel de croissance).

logis qui, le soir, apporte, hiératique et tendre, les pantoufles du héros fourbu, ressort d'une imagerie aussi forte que l'idéologie qui la sous-tend. Chaque chose à sa place, chaque sexe à son poste, et ce vieux monde fissuré sera bien gardé ! L'homme à la production, la femme à la reproduction. « La place de la femme n'est pas plus au foyer qu'ailleurs », rétorquait Jules Guesde. « Comme celle de l'homme, elle est partout, partout où son activité peut et veut l'employer. L'homme aussi, lui, a des fonctions qui répondent à son sexe : il est mari et père, ce qui ne l'empêche pas d'être médecin, artiste, ouvrier de la main ou du cerveau. Pourquoi, à quel titre — si épouse et mère qu'on la veuille, pour ne pas parler de celles qui ne sont ni l'une ni l'autre — la femme ne pourrait-elle, elle aussi, se manifester socialement sous la forme qui lui convient[1] ? »

C'est dans la dépendance économique que toutes les autres dépendances des femmes prennent leurs sources.

Un exemple, un seul. Celui, très actuel et très journalistique, des femmes battues. Quelle est la cause de ce véritable fléau, relevant d'un comportement virilo-fasciste ? Pourquoi une femme, battue une première fois par le mari, amant, *mec*, etc., demeurerait-elle auprès de lui ? En exceptant la morbidité masochiste, la raison de ces femmes battues pour être rebattues tient en un mot : l'argent. Ne disposant d'aucune autonomie financière, sans emploi, sans

1. « La Femme et son droit au travail » (dans *Le Socialiste* du 9 octobre 1898).

domicile-refuge, où aller ? et que faire des enfants
dont les impératifs — manger, dormir, avoir chaud
— étreignent comme l'étau au moment de partir ? Je
ne sous-estime en aucune manière la complexité des
rapports sexuels et affectifs d'un couple. Pas plus
que je ne surestime la conscience militante de certaines d'entre nous. Je dis seulement aux femmes
battues : « Soyez indépendantes économiquement,
et partez, avec enfants et bagages. » L'essentiel est
d'abord de sauvegarder son intégrité physique et
morale. De ne pas, après avoir méprisé la brute, se
mépriser soi-même. Et de ne pas tomber dans le
désamour de soi. Et pour celles qui n'ont ni l'âge, ni
la formation, ni le courage de travailler... alors oui,
faisons de l'assistance — comment faire autrement
d'ailleurs ? Mais au plus court terme possible et
comme un expédient.

Je ne voudrais à aucun prix sacraliser le travail,
dans notre société d'exploitation. Mais c'est, me
semble-t-il, en prenant de l'intérieur, comme
l'homme, sa part « réelle » d'injustice, que la femme
peut être à l'initiative des grands changements. Sa
revendication peut faire basculer le quantitatif dans
le qualitatif. Et l'économique déboucher sur la relation nouvelle.

Certains socialismes ont effacé dans leurs des-
seins/dessins le visage de l'homme. Mais tous ont
oublié celui de la femme, moteur et aile marchante
à part entière avec l'homme. Cet oubli n'est-il pas
une explication possible des bavures, des perver-
sions, des trahisons ? Qui pourra jamais dire à quel

point l'absence des femmes — spécifiques, différentes, sur-opprimées — aura appauvri l'avenir de
nos luttes ?

*

Mais pourquoi donc les femmes ne pèsent-elles
pas sur l'événement politique, pourquoi ne se
mêlent-elles pas de supprimer les lois injustes, de
défendre les innovations nécessaires, bref pourquoi, vivant dans une démocratie où elles élisent et
se font élire, ne s'attachent-elles pas à briser « leur
éternel servage » ? La réponse est simple. Parce
qu'elles font l'objet, au niveau des affaires de la *res
publica*, d'un véritable phénomène de rejet.

Certes, notre bulletin de vote est convoité et
toutes les formations politiques et syndicales étalent
leur pourcentage féminin (entre 10 et 30 %). Mais
quelle représentation à l'Assemblée Nationale ?
Avec 1,6 % de femmes, la France détient un triste
record, celui de la plus faible participation féminine parlementaire d'Europe[1]. Combien de femmes
dans les organismes de direction, dans les Bureaux
Politiques, dans les Commissions de décision ? Les
chiffres sont si pauvres qu'il ne sert à rien de les res-
sasser. Cherchons plutôt à comprendre le mécanisme de notre sous-citoyenneté de fait.

1. 9 femmes députés sur 490 (dont 3 présentées comme sup-
pléantes). 6 femmes sénateurs sur 283. En 1991, la France est toujours lanterne rouge de la Communauté européenne (cf. p. xl,
note 10).

La loi électorale d'abord. Le scrutin uninominal
est, selon moi, partiellement responsable de notre
sous-représentation. Seule, la représentation proportionnelle donne, sans truquage, la parole à
l'électeur/électrice. Et permettrait d'élire plus souvent au féminin[1].

Mais le mode de scrutin n'explique pas tout. Il y a
aussi les mentalités, et en particulier celles des
hommes de gauche, en retard sur leur profession de
foi. Et surtout que l'on ne nous rabâche pas la vieille
leçon — mal apprise, mal digérée de la superstruc-
ture, de la mentalité, reflet de l'économie ! S'il est
vrai que les mentalités s'élaborent à partir d'une
réalité sociale, elles n'en sont pas l'innocente photo-
graphie. Simplifier ainsi le processus de nos rapports Hommes/Femmes est au mieux sottise, au pis
mauvaise foi. Le blocage des mentalités est un phénomène important, dans ses causes et dans ses
effets. Les lignes politiques les plus limpides et les
mieux intentionnées peuvent s'en trouver perver-
ties. Le « poids subjectif » des mentalités pèse
comme un facteur autonome, et non pas seulement
par voie de conséquence, à partir des structures économiques. Il brouille les données et explique qu'à
l'intérieur d'une même classe sociale — celle des
exploités par exemple — la femme soit la prolétaire
du prolétaire. Que l'interchangeabilité des tâches

1. L'exemple de l'Italie (élections du 20 juin 1976) est à cet
égard intéressant, 87 femmes élues aux deux Assemblées sur 950,
soit 9,7 % (pourcentage précédent 3 %). En 1991, 101 femmes
élues sur 945, soit 10,7 %.

au foyer reste un vœu pieux et souvent, de la part de ses auteurs masculins, une hypocrisie démagogique. Que cela est vrai dans toutes les couches de la société[1] et dans toutes les sociétés, libérales ou socialistes, d'autant que la loi demeure impuissante à cet égard. Les ministres de notre actuel gouvernement ont repoussé une des propositions de Françoise Giroud selon laquelle, à la naissance d'un enfant, le père *ou* la mère, au choix, bénéficierait d'un congé devenu parental[2]. Sans doute se sont-ils considérés comme atteints dans leur dignité virile... Un père est un homme... et un homme ne pouponne pas...

Interrogez donc autour de vous : « Les femmes ministres ? Les femmes députés occupant la moitié de l'hémicycle ? Les femmes maires des grandes villes ? » « Oui, disent-ils, mais... » et d'expliquer qu'elles ne sont pas prêtes, qu'elles ne peuvent assumer de telles responsabilités, que les hommes n'accepteraient pas — que voulez-vous — l'autorité d'une femme (dans l'entreprise, dans le parti, ou dans le syndicat)... tout comme les Vietnamiens ou les Algériens — au dire des colons — auraient immédiatement accédé à l'indépendance s'ils avaient été capables de gouverner... Les guerres coloniales, c'est bien connu, ont été faites dans le seul intérêt des colonisés ! Pour les rendre meilleurs.

1. L'interchangeabilité est de : 2,3 p. 100 chez les travailleurs indépendants ; 11,5 p. 100 chez les salariés (rapport Comité Travail féminin, septembre 1976). Cf. des chiffres plus récents, p. XLI, notes 17 et 19.
2. Système notamment en vigueur en Suède, avec succès.

*

C'est sûrement pour être moins dérangeante
pour son auteur, d'une part et pour se fortifier en
durant, d'autre part, que toute oppression a besoin,
à la longue, du consentement de sa victime.

Pour façonner celui des femmes, on a puisé dans
la religion, la philosophie, la littérature et les *mass
media*. Les tabous judéo-chrétiens auront beaucoup
contribué à construire, d'acier et de béton, un de
nos plus redoutables *enfermements* : *l'enfermement
sexuel*.

Notre sexe (« la porte du diable » selon Tertullien)
est décrit comme le piège vers lequel les pulsions de
l'homme entraînent inexorablement celui-ci. Notre
sexualité est unidimensionnelle : la reproduction de
l'espèce. Nos désirs ? Notre plaisir ? Dans sa hiérarchie et ses textes fondamentaux, l'Église « ne
connaît pas » — ou chez les tentatrices, les envoyées
du Malin, peut-être — et la condamnation est alors
sans appel. Pour nier le droit à l'approche heureuse
de notre corps (et à celle des autres corps), le droit à
la jouissance, à l'autonomie sexuelle[1], l'amour ne
sera pas dissocié de la fonction procréatrice. Hypocrisie criminelle qui nous interdira — jusqu'à la loi
du 17 janvier 1975 — de disposer de nous-mêmes,
de prévenir (contraception) ou de supprimer (avor-

---

1. Le viol : crime commis contre le droit des femmes de
choisir librement leur partenaire dans l'amour.

tement) une grossesse-accident. Quoi d'étonnant alors à ce que dans les Écritures, la femme n'ait été chantée que vierge ou mère ? L'idéal étant bien sûr qu'elle puisse être les deux à la fois...

La Genèse avait d'ailleurs programmé avec concision notre destin : Dieu dit à Ève : « Je vais multiplier la souffrance de tes grossesses. Tu enfanteras dans la douleur. Ton élan sera vers ton mari mais lui, il te dominera. » Cette apostrophe[1] est-elle à l'origine de l'amour mutilé chez la femme ? Difficile à affirmer tant sont nombreuses les sources et divers les véhicules de notre sexualité étouffée...

Et notre âme ? En avons-nous une d'abord ? Oui... mais de justesse. Le très célèbre Concile de Nicée (en 325) était très partagé sur la question. Bien que nous soyons créatures de Dieu, après tout ! Mais, tout de même, cette âme est loin d'être de la même *essence* que l'âme masculine. La spiritualité de la femme « forme déviante de l'homme » barbotera dans un « cloaque », nous ont assuré saint Paul, saint Augustin, etc.

Pour généraliser le propos et lui donner une portée concrète, il fallut le laïciser. On fit alors appel à la Nature. La Nature ne se justifie ni ne s'explique. ELLE EST. Et, étant, elle détermine les biologie, physiologie, psychisme du sexe féminin

1. Genèse, III-16.

comme étant fondamentalement *différents* de celui
de l'homme, vous m'avez comprise, c'est-à-dire *infé-
rieurs*. Nos différences « naturelles », source d'inégalités, sont camouflées en dons, qualités, etc.
Ainsi, la Nature nous a dotées de l'instinct
maternel, de l'intuition, de la réceptivité... alors
qu'à nos compagnons seront attribuées force, intelligence, agressivité... caractéristiques intrinsèque-
ment phalliques... et il n'est de phallus, bien sûr, que
triomphant !

Même l'effort de certains philosophes éclairés de
l'Antiquité grecque — tels que Platon ou Aristote —
pour répartir également les « aptitudes naturelles »
des deux sexes tourne court, « *la femme restant en
tout plus faible* que l'homme[1] ».

Quand l'ethnologue américaine Margaret Mead
s'en alla, il y a quelques années, séjourner en Méla-
nésie (Océanie) parmi les autochtones, elle tomba
de surprise en surprise. L'idée reçue selon laquelle
chaque sexe avait un comportement *inné*, de par la
Nature, se révéla fausse. Observant la vie de la tribu
Tchombouli, que constata-t-elle ? Les femmes ton-
dues, l'œil vif, le pied solide, allaient à la pêche,
administraient la tribu, se réunissaient pour
prendre les décisions nécessaires à sa survie et à son
bien-être, bref avaient la direction civile et politique
de la Cité. Pendant ce temps, les hommes maquillés,
couverts de bijoux et de colifichets, papotaient...
Aguicheurs, ils intriguaient pour conquérir les

---

1. *Cf. La République,* Platon.

faveurs d'une belle, rivalisaient de séduction pour elle, dansaient, chantaient... De vrais allumeurs !

Si les pôles peuvent à ce point s'inverser, si la « nature » féminine devient celle des hommes et réciproquement, si, en somme, l'*acquis* socio-culturel est à la source de nos « différences », quel crédit reste-t-il à l'argument Nature ?

Au demeurant, il serait faux de faire de cette Nature le synonyme de la Norme, du Juste, du Bien, de l'Harmonie. Le riche contre le pauvre, le fort contre le faible, la fatalité contre le progrès relèvent d'une « nature » sans mansuétude pour l'homme. Une loi de la jungle à tous les niveaux.

S'il est vrai que les opprimés ne peuvent devoir leur libération qu'à eux-mêmes, qu'attendent donc les femmes pour se lever et pour crier : « Assez ! » Pourquoi cette moitié de l'humanité accepte-t-elle sa sujétion à l'égard de l'autre moitié ? Comment et par quelle inconséquence nous faisons-nous les courroies de transmission de nos propres chaînes ? Bien que le phénomène réponde à des lois classiques (le jeu dialectique des idéologies dominante/dominée) la réponse est plus complexe.

C'est que la femme subit le plus redoutable, le plus diffus, le plus sournois des enfermements, je veux parler de l'*enfermement culturel*.

Après les religions — ou à côté — Freud

prendra le relais de cet *enfermement*. Dans son discours psychanalytique, entièrement écrit au masculin, il traduira notre condition en termes de
« nature » et de « destin ». « C'est une idée condamnée à l'avance que de vouloir lancer les
femmes dans la lutte pour la vie au même titre que
les hommes. Je crois que toutes les réformes législatives et éducatives échoueraient du fait que,
bien avant l'âge où un homme s'assurerait une
situation sociale, la nature a déterminé la destinée
de la femme en termes de beauté, de charme et de
douceur... Le destin de la femme doit rester ce
qu'il est : dans la jeunesse celui d'une délicieuse et
adorable chose, dans l'âge mûr celui d'une épouse
aimée », écrira-t-il à sa fiancée Martha[1]. C'est que
nous n'avons pas de pénis. Et que nous crevons
d'envie d'en avoir. Et que tout est là. Alors nous
compensons par le désir d'enfants, et/ou le désir du
phallus de notre père. Ce cher Œdipe expliquerait
les axes de notre civilisation patriarcale : or ces
affirmations sont de plus en plus sérieusement
contestées. Ainsi l'anthropologue Malinowski, qui
s'est livré à l'étude de la matrilinéarité en Nouvelle-
Guinée, contredit-il l'universalité des conclusions
freudiennes et leur bien-fondé. Le patriarcat, dit-il
en substance, c'est à la fois le droit romain, la
morale judéo-chrétienne et l'économie bourgeoise.
Que reste-t-il du célèbre complexe (d'Œdipe) aux

1. *Correspondance de Freud 1873-1939*, tome II, collection
« Connaissance de l'Inconscient », 1966. Gallimard, Paris.

ravages multiples ? De n'être que la conséquence du socio-culturel[1].

Mais en attendant, et grâce à la culture, les prisons ont communiqué et la boucle est bouclée.

La femme procréatrice *(enfermement sexuel)* doit s'assumer comme épouse et mère dans le lieu d'accomplissement de ce destin *(enfermement au foyer)*. La femme au travail ou la femme dans la politique ne sont pas à leur place « normale ». Pour la sanctionner de tels choix, elle sera discriminée dans son statut de travailleuse et considérée comme inapte aux responsabilités dans les partis et syndicats *(enfermements du travail et politique)*.

Dans l'éducation qu'elle prodiguera à ses enfants, la femme (surtout celle au foyer, plus perméable et plus fragile à l'environnement culture-*mass media*) reproduira les schémas de sa propre aliénation. En disant : « Tu seras un homme, mon fils », ou « Reprends ta poupée, ma fille », elle perpétuera la grande ségrégation culturelle de notre société.

Pour donner toute sa complexité à la relation des hommes-dominants aux femmes-dominées, la littérature amoureuse nous fabriquera des mythes-auréoles.

Les poètes de l'amour courtois comme les surréalistes chanteront la femme irréelle, inaccessible, la créature de rêve. Même si, pour certains, l'objectif conscient n'est pas de nous couper du monde réel,

1. B. Malinowski : *Sexualité et Répression dans les sociétés primitives.* Payot, Paris, 1967.

de notre conscience et de nous-mêmes, le truquage nous met dans un état de totale dépendance. Déesses par le pouvoir de leur imagination, nous devenons subtilement leur objet. Et le lyrisme ou le talent de nos « inventeurs » ne changent rien au danger du bel *enfermement*.

« La femme est une esclave qu'il faut savoir mettre sur un trône », disait Balzac. Question de méthode sans doute. Et d'efficacité. Un opprimé dont la personnalité est coupée en deux éprouvera quelque difficulté à construire sa révolte.

Toujours est-il que Reine, Muse ou Égérie, nous sommes l'Autre, la Relative, la Complémentaire. Notre rôle ? Calmer les angoisses du créateur, rafraîchir les moiteurs de son front blême, rassurer une virilité quelquefois défaillante. *Habillées pour un autre destin,* nous nous cognons à ces images extrêmes, fortes comme des barreaux. Nous n'aurons le droit ni à la médiocrité, ni à l'erreur, ni en somme, à notre propre existence.

*

La femme est-elle *sujet* de culture ? La femme est-elle capable de création ?

Sans doute, dans le passé, les femmes ont-elles écrit, peint ; aujourd'hui aussi. Et sans doute aussi que la machine à faire connaître les créateurs étant pour l'essentiel masculine — critiques, *media*, éditeurs, bailleurs de fonds — l'histoire des créatrices a-t-elle été occultée...

Il me paraît cependant assez logique — et presque inévitable — que les femmes n'aient eu ni leur Mozart, ni leur Stendhal, ni Einstein ou Picasso. De même que les esclaves, les colonisés, les prolétaires... Kateb Yacine et Aimé Césaire restent des exceptions dont la voix — ne l'oublions pas — est française, c'est-à-dire dans le verbe de l'occupant. Et nous savons que le choix — ou l'absence de choix — d'un langage n'est jamais une entreprise innocente.

Aux femmes, comme aux autres subjugués, le savoir fut longtemps refusé, et donc un certain pouvoir. Celui de la connaissance. Déjà en 1789, dans une pétition adressée au Roi, des femmes du tiers état réclamaient « une meilleure instruction pour ne pas être totalement dépendantes des hommes ». Depuis, les femmes ont appris à lire, mais le hiatus entre elles et les hommes demeure énorme. Et selon moi significatif. Ainsi de 1960 à 1970, le nombre des analphabètes s'est accru dans le monde de 40 millions chez les premières et de 8 millions chez les seconds[1].

Si la création est jeu, liberté, comment l'oppression pourrait-elle favoriser le discours créateur ? Les grands phénomènes sociaux et économiques se jouent sur les décisions de classes, d'oligarchies, mais toujours aussi sur des décisions masculines. L'Histoire n'est pour les femmes qu'une histoire, ou

---

1. Discours de Monsieur M'Bow, directeur général de l'UNESCO, 17 novembre 1975. Aujourd'hui, sur trois personnes qui ne savent ni lire, ni écrire, deux sont des femmes (UNESCO, 1988).

l'Histoire faite par d'autres, pour elles. Pour elles
aussi accessoirement. Nécessairement.

Sur les barricades de la Commune, les femmes
firent la preuve de leur maturité politique, de leur
esprit d'invention, de leur courage. Mais ni Elisabeth Dimitriev, ni Louise Michel, ni Hortense
David, ne convainquirent les hommes que leurs
compagnes pouvaient être des citoyennes à part
entière..., par exemple voter !

Une curieuse théorie — masculine, bien sûr —
veut que la femme, de par son pouvoir d'enfanter,
soit reliée, sans médiation, à la Vie. Que ses rythmes
sont naturellement synchronisés avec ceux, pro-
fonds, de l'Univers. Qu'elle est donc en accord
secret et unique avec le Cosmos. Comment pourrait-
elle créer alors qu'en procréant elle « évacue » toute
sublimation, toute subversion ?

À cela, je répondrai que la procréation — conception et accouchement d'un enfant — continue
d'être dans la moitié du monde — et dans notre
pays jusqu'à ces derniers mois — un phénomène
purement physiologique et, le plus souvent, subi.
Que la procréation librement décidée peut au
contraire catalyser chez certaines d'entre nous une
forme d'insertion, ou de contre-insertion de notre
marginalité de femme. Et qu'enfin entre Simone de
Beauvoir et le Prix Cognacq, il y eut place pour
George Sand, Mme de Sévigné, et... Colette !

Mais foin de ces considérations nébuleuses ! Des siècles d'hégémonie masculine nous ont réduites au silence, ou pis, au mimétisme. La création est un pouvoir. Il nous faudra donc le prendre ou inventer le pouvoir de *notre* création. À partir de nos valeurs d'opprimées, faire jaillir nos valeurs d'avenir. La Féminitude peut-être. Comme pour la Négritude, renouer avec l'identité perdue. Je me ramasse dans moi, femme, homogène, lucide. Je descends dans mes profondeurs. Je retrouve mes racines desquelles si longtemps j'ai été coupée ! C'est la fête. Les retrouvailles. Le cri. Le chant. Le creuset bouillonne, multiple, intact. Superbes et neufs surgissent le langage, l'image, le monde.

*

C'est déjà demain. Nous avons vaincu et dépassé l'iconoclastie. Nous anticipons.

Depuis que nos épaules sont plus souvent d'acier nécessaire que de blond champagne, depuis que même nues, nous disons notre vécu[1] NOUS DONNONS À VOIR avec notre parole de femme, ce que serait le féminisme pour tous.

---

1. *Cf.* A. Breton : ... « Ma femme aux épaules de champagne... » (L'Union libre).

Cf. P. Eluard : ... « Nous deux toi toute nue
Moi tel que j'ai vécu... » (Poésie ininterrompue).

CHAPITRE PREMIER

AU FIL DE LA VIE

Enfance d'une fille[1]

Édouard décroche le téléphone :

— Une petite fille ! crie le correspondant... Tu as une petite fille !

— Merci, dit Édouard.

— Une très mignonne petite fille ! précise le correspondant. *Mabrouk*[2] *!*

— Merci, répète Édouard.

Il raccroche. Pendant une quinzaine de jours, chaque fois qu'on lui demandera si sa femme a accouché, Édouard, mon père, répondra sans sourciller :

« Pas encore... C'est pour bientôt... Mais pas encore... »

Quinze jours pour se faire à l'idée qu'il a cette malchance : une fille...

1. Le récit de mon enfance ébauché ici, je l'ai développé dans *Le lait de l'oranger* (Gallimard, 1988 et 1990, coll. « Folio »).
2. Félicitations ! (en arabe).

Puis il finira par se persuader qu'après tout, il a sauvé l'honneur, puisqu'il a déjà un fils aîné. Alors, il avouera enfin :

« Eh bien oui ! Elle a accouché : c'est une fille... »

La fille, c'est moi.

Ainsi commence l'aventure...

J'étais toute gosse quand on m'a raconté l'histoire de ma naissance. Ce déclic du téléphone raccroché, ce « *merci* » crispé, je me souviens les avoir entendus résonner comme un glas. Ils m'ont poursuivie longtemps et continuent de me poursuivre. Ils me disaient la malédiction d'être née femme. Comme un glas, et en même temps comme un appel, un départ. Je crois que la révolte s'est levée très tôt en moi. Très dure, très violente. Sans aucun doute indispensable pour faire face à ce clivage que j'ai retrouvé dans toute ma vie : j'étais une femme dans un monde pour hommes.

Aussi loin que remontent mes souvenirs, tout, dans mon enfance, dans mon éducation, dans mes études, dans ce qui était permis ou défendu, devait me rappeler que je n'étais née que femme. Ma sœur et moi, nous n'avons absolument pas été élevées comme nos frères.

Notre éducation procédait de ce découpage saignant : « Toi, tu es une fille. Il faut que tu apprennes la cuisine, le ménage. Et tu te marieras, le plus vite possible. Lui, c'est un garçon. Il faut — on en trouvera les moyens, à tout prix — qu'il fasse des études, qu'il gagne bien sa vie. » Le mariage d'un garçon, c'est affaire personnelle. Le mariage d'une fille, c'est l'affaire des parents : cela ne la regarde pas. D'ailleurs nos parents nous l'expliquaient : la naissance d'une fille représente une responsabilité épouvantable. Il faut bien sûr l'assumer. Il faut surtout s'en décharger sur un mari, le plus rapidement possible.

Je crois que ma mère a mis un certain acharnement, peut-être inconscient, à maintenir ce clivage. Comme si, au fond, elle voulait reproduire ce qu'elle avait subi. Mon père aussi. Mais d'une certaine manière, il était plus neutre, il avait plus de recul, il était *l'homme*

Victime de son éducation, ma mère a été mariée à moins de quinze ans. À seize ans, elle avait son premier enfant. Blessée, donc, mais fière, fière de sa maternité et fière de ses blessures, comme certains martyrs. Opprimée dès son plus jeune âge, niée dans son existence, passant sans transition, de la terrible autorité de mon grand-père, authentique *paterfamilias* de tribu, à celle de mon père, son mari, tout naturellement, elle opprimait à son tour.

Quand je refusais de me marier, à seize ans, elle me disait : « À ton âge, moi j'avais des enfants. » À travers moi, elle voulait revivre sa vie. Comme pour la justifier. Je comprends très bien cette démarche. Perpétuer les choses provoque toujours moins de heurts que vouloir les changer. Un peu comme ces femmes d'aujourd'hui qui ne veulent pas reconnaître l'existence de notre problème. Le reconnaître les obligerait à se déterminer. Et aussi à admettre que certaines peuvent échapper à ce qui leur est tracé comme un destin. C'est toute l'histoire de cette fameuse quiétude par absence de connaissance.

Pour mes parents, donc, la famille idéale n'était faite que de garçons. Si on leur avait demandé, au moment de ma naissance, ayant déjà un fils, ce qu'ils voulaient, à coup sûr ils auraient répondu : « Un autre garçon. » Et après ce deuxième garçon ? « Encore un garçon... »

Toujours est-il que nous avons été cinq enfants : mon frère, mon aîné de deux ans, moi, un petit frère mort, atrocement brûlé sous mes yeux ; il avait environ deux ans et moi quatre. Puis j'ai eu une sœur et un frère. Une famille nombreuse, élevée pauvrement parce que mes parents étaient pauvres, sans diplômes ni culture. Mes parents n'ont pas le certificat d'études. Mon père a commencé comme garçon de courses. Toute mon enfance a été bercée par les récits de chaussettes qu'il ne pouvait s'acheter. Il marchait pieds nus pour faire ses courses. Et puis, en autodidacte, à force d'acharnement, il est devenu secrétaire, puis clerc dans une étude d'avocat. Mon père est ce qu'on appelle un « personnage ». Il est clair qu'il m'a profondément marquée. Il m'inspirait et m'inspire toujours beaucoup d'admiration[1].

Donc, nous avions très peu de moyens. Il fallait déterminer par degrés d'urgence ce qui pouvait être fait avec l'argent de la maison. En vérité, le problème ne s'est même pas posé : l'aîné devait perpétuer le nom, l'honneur et, si possible, nous sortir de cette pauvreté. Parce que pauvreté est vice. Même à l'heure actuelle, mes parents supportent mal de m'entendre dire que j'ai eu une enfance pauvre. Il ne faut pas en parler. Il faut l'oublier. Ils avaient décidé malgré tout que mon frère aurait une profession libérale, ce qui ne s'était jamais vu dans les générations antérieures. Si possible qu'il serait avocat : ils rêvaient d'une profession qui efface la misère, qui comble les trous, et surtout qui redonne de « l'honneur ».

Je ne garde pas le souvenir d'une enfance triste parce qu'en Tunisie, la pauvreté baigne dans la lumière, dans le soleil. La chaleur et la mer étaient toujours mêlées à mes jeux. Je nageais avec les garçons, là où passaient les bateaux, entre les blocs de la jetée. Il fallait bien nager, être hardi. Il fallait même être un peu « voyou » comme disait mon père. Et puis, je jouais au football, encore un sport

1. Je l'appelais « Édouard le magicien ». Il est mort le 26 décembre 1976. Je le fais revivre — avec mon enfance — dans *Le lait de l'oranger*.

des pays sous-développés. Toutes distractions qui n'ont besoin ni d'équipement, ni d'investissements, ni d'enseignement. On nage tout nu, on joue au football nu-pieds. Et dès la plus tendre enfance.

Jusqu'à un certain âge, je jouais avec mon frère aîné et avec ses amis. J'étais la seule fille et cela inquiétait vaguement mes parents. Mais ils ne disaient rien parce que j'allais avec mon frère, gardien de l'honneur de la famille, suivant l'une des règles sacro-saintes de notre milieu. Inutile d'ajouter que le déshonneur ne pouvait venir que par les femmes.

Il y avait des principes à ne jamais transgresser. Par exemple, je me souviens très bien qu'à la nuit tombée, il fallait être à la maison. La nuit favorisait le mal, était facilement la proie du démon. La durée de nos plaisirs et de nos jeux était donc fonction des saisons. Implacable et bref comme une déchirure le crépuscule nous terrassait. Nous avions alors des courses éperdues pour regagner la maison, par peur des réprimandes, souvent très sévères. Mes parents nous élevaient avec rigueur.

Aussi loin que peuvent remonter dans le temps mes souvenirs, je revois d'une manière très précise, les différences ressenties, le clivage fille-garçon. Je sais que très très jeune, vers l'âge de sept, huit ans, ma mère nous obligeait à laver le sol de la maison. (En Tunisie, il n'y a pas de parquet, il y a des carreaux par terre.) Il n'était pas question de le demander à mon frère qui était pourtant plus âgé, et beaucoup plus solide, que nous les filles. Je devais ranger, faire la vaisselle. Dans la maison, l'homme n'avait jamais rien à faire. Nous, les filles et ma mère, étions là pour le servir.

C'est quand nos études ont pris une certaine importance que j'ai ressenti la discrimination. Après le certificat d'études, il a été convenu que mon frère continuerait. Dans la famille, on était décidé à se priver de tout pour qu'il ait un diplôme. Pendant ce temps, j'avais progressé toute seule. Mais ça n'avait jamais intéressé personne. Mon frère n'était pas très bon élève, en cinquième. Il avait des colles. Il truquait. Il imitait, sur les bulletins scolaires, la signature paternelle. Et moi, je continuais mon chemin. Je réussissais. Mais personne ne me demandait quoi que ce soit. Au fond, personne ne s'en apercevait.

À dix ans, je savais déjà qu'il ne fallait pas compter sur l'effort financier de mes parents pour m'aider à aller au lycée qui était payant. Et même assez cher. Je m'étais renseignée. J'avais appris qu'il existait un concours des bourses, uniquement ouvert à une certaine catégorie sociale d'élèves. Celle à laquelle j'appartenais : les élèves pauvres. Pour réussir, il fallait faire un très bon score. J'ai donc passé cet examen. J'ai même été reçue en tête, autant que je me souvienne. J'obtenais de très bonnes notes, mais elles passaient toujours inaperçues. J'arrivais pour dire : « Je suis première en français. » C'était le moment même où se déclen-

chait un drame parce que mon frère était dernier en
mathématiques. Il était homme et son avenir
d'homme occupait toute la place. À en être
asphyxiée. Toute l'attention était tournée vers lui. Je
ne suis même pas sûre qu'on m'entendait quand je
parlais de mes professeurs et de mes cours. Il m'a
fallu accumuler beaucoup de succès, réussir mes
examens de licence à la Faculté pour que mes
parents commencent à dire : « C'est pas mal, ce
qu'elle fait. Après tout, peut-être est-elle un cas un
peu particulier ? » Mais à l'époque, ça ne les intéres-
sait pas, c'était secondaire.

Vint le moment où il fallut me décider au
mariage. En clair, me marier, c'était arrêter mes
études. À l'époque, ma mère aurait beaucoup sou-
haité me faire épouser un marchand d'huiles, fort
riche et sympathique au demeurant. Il avait trente-
cinq ans. Moi, j'en avais seize. C'était tout à fait dans
les normes du mariage, en Tunisie.

Je ne voulais pas me marier. Je voulais étudier. Je
revois toujours ma mère mettre son doigt sur sa
tempe et dire : « Gisèle, elle ne veut pas se marier, elle
veut étudier... », comme pour expliquer par ce geste :
« Elle ne tourne pas rond cette fille ! Elle est vraiment bizarre ! » On a pensé que cela me passerait.

Mon frère avait redoublé deux fois. Je l'ai donc
très vite rattrapé. On s'est finalement retrouvés dans
la même classe. C'est à ce moment-là qu'il a quitté le
lycée. Renvoyé je crois.

Mes parents ont enregistré cet échec toujours sans commentaire à mon égard. Je me demande cependant si mes succès n'ont pas été considérés, à ce moment-là, comme quelque chose de néfaste. Je bouleversais une règle établie, un ordre. Alors que personne ne s'occupait de moi, que je continue de progresser mais discrètement, comme dans une routine quotidienne, passe encore. Mais que je me fasse remarquer en coiffant au poteau l'homme, l'aîné de la famille, celui à qui on devait passer le flambeau de l'honneur, c'était trop !

L'offensive pour me marier s'est alors faite plus dure, car il fallait rétablir le processus : je me mariais, j'arrêtais mes études et mes parents continuaient à faire des sacrifices pour mon frère. Je me souviens même d'un fait important, compte tenu de notre niveau de vie : on est allé jusqu'à payer au garçon des leçons particulières de mathématiques. Cela représentait pour nous un luxe inouï.

Quelques années plus tard, c'est moi qui donnais des leçons particulières, au fils d'un avocat chez lequel mon père faisait des remplacements de secrétaire. J'étais en seconde, au lycée. Avec ces leçons de mathématiques et de latin, je voulais mettre de l'argent de côté : j'avais décidé que j'irais à l'université en France et je savais que personne ne m'aiderait. C'était assez symbolique : mon frère avait besoin de leçons particulières ; moi, j'en donnais et je gagnais déjà le pouvoir d'apprendre.

Je ne sais pas si mon comportement a ouvert des possibilités à ma sœur, de quatre ans ma cadette. Ou si, par réaction, elle n'en a pas été plus barrée. Pour moi, l'aînée des filles, mes parents ont cherché toutes les explications, donné tous les alibis : c'est une forte personnalité ; c'est un garçon manqué ; elle ne tourne pas rond ; il y a toujours dans les familles quelqu'un qui échappe à l'ordre établi, etc.

À l'égard des tâches ménagères, par exemple, j'ai fait un blocage radical. Il y a eu des phases d'affrontements extrêmement violents. Je me roulais par terre. Je ne mangeais plus. Je faisais la grève de la faim. Jusqu'à ce qu'on vienne me chercher pour me dire : « Bon, eh bien, tu ne feras pas le ménage ou la lessive. » À force de protester, de me révolter, il a été admis que je ne participerais plus aux tâches ménagères.

Alors que pour la cadette, ils se sont dit qu'ils ne devaient pas la rater. J'ai le souvenir qu'elle a beaucoup lavé par terre, qu'elle a fait beaucoup de lessives, de vaisselles, et beaucoup repassé de linge.

Elle ne s'est pas rebellée aussi ouvertement que moi : elle s'y est prise autrement. Un jour, elle est partie. Elle a quitté le toit paternel avec un homme qui aurait pu être son père. Un Italien dont elle attendait un enfant. Elle l'a d'ailleurs épousé quelques années plus tard.

Sa révolte, elle n'a pas pu l'accomplir comme je l'ai fait moi-même, dans mon milieu, au milieu de l'injustice. Je le vois aujourd'hui, c'était une révolte avortée. Pour fuir le patriarcat paternel, elle s'est

jetée dans un autre patriarcat, aussi redoutable sans
doute : avec un monsieur qui était loin de la reconnaître en tant que femme. Et elle a mis douze ans
avant de se sortir de là. Sa ligne de conduite tenait
plus de la fuite que de l'offensive.

Ce que je dis ici peut paraître dur à l'égard d'êtres
auxquels je reste *affectivement* très liée, mais j'essaie
d'être objective, de dire comment les choses se sont
passées. Cela ne change rien à ce que j'éprouve pour
ma mère, ma sœur, mon père, ces *victimes*. Je ne
veux pas les accabler. Je voudrais les éclairer, de *l'intérieur*. J'explique pour eux et pour moi, l'aliénation
qui fut la *nôtre*, qui reste, en grande partie, la leur. Je
dénonce. D'une certaine façon, je les réhabilite
aussi. De toute manière, je viens d'eux, de ce milieu,
et je ne l'oublie pas.

Moi, j'étais déterminée à aller mon chemin, que
ça plaise ou non. Et mon chemin passait d'abord
par cette envie démesurée que j'avais de lire,
d'apprendre, de connaître. À la maison, on ne trouvait pas un livre, pas un disque, rien. Heureusement, faisant partie d'une famille nombreuse, impé-
cunieuse, j'avais droit au prêt gratuit de tous les
livres scolaires durant mes études. Avantage pré-
cieux, car mes parents ne me les auraient jamais
achetés. Quand il m'en manquait un parfois, je me
débrouillais. J'allais chez une copine recopier les
cours. J'étais inscrite dans toutes les bibliothèques.

La vue, le toucher des livres me fascinaient. Je les
regardais, les palpais, les humais longuement avant
de leur arracher leur secret. Comme si le pouvoir

extraordinaire des mots — que je sentais si fort —
devait se manifester d'abord physiquement à moi,
par la forme, le contact ou l'odeur. De même que
m'enfoncer dans les fonds bleus et verts de la Médi-
terranée me donnait — me donne toujours — le
sentiment de l'immortalité, d'une plénitude physique qui ne peut que se fondre dans celle de la
nature et durer autant qu'elle. Il me semblait que
l'appréhension matérielle d'un bouquin me donnait déjà, comme par osmose, la connaissance, le
moyen d'être libre.

Je lisais des nuits entières. En cachette, car nous
étions quatre enfants à dormir dans la même pièce,
quatre enfants à nous laver, à l'eau froide, dans le
même évier. À cause de l'exiguïté, il fallait vivre au
rythme de la communauté. Grâce à un système
d'éclairage un peu artisanal et clandestin — une
toute petite veilleuse que je branchais directement
sur une prise placée au ras du sol — je me couchais
par terre et je lisais tout mon soûl. Sans que mes
parents le sachent, car ils ne l'auraient pas admis.

Avec mes premières lectures, m'est venu un certain apaisement. C'est un peu ça la connaissance. J'y
trouvais l'assurance que j'avais un long chemin à
parcourir, j'y puisais les forces nécessaires pour
résister. Résister au poids accablant d'être née
femme.

Ma sœur et moi nous faisions bloc, malgré nos
quatre ans de différence. Nous avons vécu ensemble

des « événements » très importants : c'est moi qui lui ai appris à lire, l'emmenais à l'école (il n'y avait personne pour nous accompagner). C'est aussi moi qui l'ai initiée à la musique. J'étais sans culture dans ce domaine, personne ne m'en avait jamais parlé. Pourtant, cela me passionnait. Le professeur de musique du lycée l'avait remarqué et avait proposé de me donner des leçons de piano gratuites. Je les ai suivies assez longtemps avec grand plaisir. Et ce que j'apprenais, au fur et à mesure que je l'apprenais, je l'enseignais à ma sœur.

Nous étions donc très liées. Et puis, il y a eu la coupure de mon départ pour la France où je voulais à tout prix faire mes études. J'avais dix-sept ans, ma sœur n'en avait que treize. Elle a ressenti ce départ comme un abandon. Je me souviens des lettres qu'elle m'écrivait : pour elle cela revenait à une désertion. Elle s'est retrouvée toute seule et, pour parer les coups, elle a refoulé sa révolte en donnant l'apparence d'une soumission silencieuse. Jusqu'au jour où tout a éclaté lorsqu'elle a rencontré cet Italien qui était de vingt-cinq ans son aîné. Elle a fui avec lui. Disons plutôt qu'elle s'est fuie elle-même. Et cela n'a pas résolu son problème. En fait, notre lutte ensemble a tourné court.

Je vivais comme un garçon et la puberté est venue tout déranger. Surtout à cause de l'ignorance dans laquelle on nous élevait. Des explications sur la condition physique des femmes, je n'en ai pratique-

ment eu aucune, ni avec mon père, ni avec ma mère,
ce qui aurait été plus normal.

Je me souviens du jour où j'ai eu mes premières
règles. Je n'avais aucune idée de ce que cela pouvait
être. « J'ai du sang », ai-je dit à ma mère. Elle m'a
répondu qu'elle voulait me parler. Je n'ai pas eu
vraiment peur.

J'attendais des explications avec impatience. Je
me sentais frustrée de ce dialogue avec une femme.
Avec qui une fille peut-elle dialoguer plus totalement qu'avec sa mère ? Pour toute explication, elle
m'a dit : « Tu n'es plus une fillette, tu es une jeune
fille, tu peux donc te marier. » Et elle a ajouté,
comme un avertissement : « Maintenant, ce n'est
plus du tout la même chose. Tu ne peux plus jouer
avec les garçons. Tu ne peux plus courir comme
avant. Il faudra faire très attention. À partir
d'aujourd'hui, tout est changé... »

Je restai sur ma faim de savoir, sans rien oser
demander. J'ai fait connaissance avec tous les rites
du silence, de la clandestinité, de la culpabilité. Le
rite du lavage des serviettes hygiéniques par
exemple. « Tu feras bien attention, personne ne
doit savoir. Il ne faut pas en parler. »

Il fallait que chaque fille, le soir, lave ses serviettes. Il fallait les mettre à tremper, la veille, dans
un pot de chambre caché dans un coin du patio.
Personne ne devait « tomber » dessus. Puis il fallait
les laver la nuit, les étendre dans un endroit
inconnu des non-initiés. Cela prenait des allures
d'expédition. Presque de cérémonie expiatoire. Et

cela me paraissait d'autant plus énorme, d'autant plus culpabilisant que personne ne pouvait m'expliquer vraiment. Je ne comprenais pas pourquoi il fallait être coupable.

En plus, ce changement brutal, qualitatif dans ma vie depuis la venue de ce sang, m'affectait beaucoup. Me dire brusquement que je n'aurais plus mes petits copains, avec qui je nageais à perte de souffle, avec qui je jouais au football, avec qui je courais dans les rues : cela me semblait une épreuve insurmontable.

Ma mère m'a dit : « Quand tu seras *indisposée*, tu ne pourras plus te baigner. » Pendant longtemps, j'ai obéi. Un jour, je me suis brusquement demandé : « Mais pourquoi est-ce que je ne me baignerais pas ? Pourquoi me couper du monde, de mes activités, de ce qui fait ma vie ? Pourquoi vivre à l'écart, tous les mois, à cette période ? » Et gaillardement, je décidai désormais de me baigner — sans rien en dire à mes parents, bien entendu. Jusqu'au jour où, après une longue journée passée à la jetée, ma mère ôta mes chaussures et découvrit du sable sous mes semelles... Je fus battue.

On ne m'avait pas même expliqué que, depuis la venue de mes règles, je pouvais avoir des enfants. Sur le plan de l'éducation sexuelle, on ne m'a jamais donné la moindre explication. Un silence accablant, qui rendait la « chose » d'autant plus terrifiante. Pour savoir comment les enfants venaient au

monde, j'ai dû lire et apprendre toute seule. En jux-
taposant mes lectures et mon autoconnaissance, à
force de bricolage, j'ai pu me faire une idée à peu
près précise de ce que signifiait « faire l'amour ».

Ma mère n'a jamais lié mes règles à la fécondité
possible. Le rapport sexuel ne devait surtout pas
être évoqué. Au point que lorsqu'une question
d'enfant fusait, trop précise, elle préférait nous
induire en erreur, plutôt que dire la vérité.

Je me souviens que, petite fille, je voyais souvent
ma mère, lorsqu'elle se mettait au lit auprès de mon
père, disposer entre elle et lui un long traversin.
Telle l'épée de Tristan et Yseut, parallèle aux deux
corps : une étrange barrière. J'avais fini par
l'interroger : « Je me suis disputée avec ton père !... »
Devant la répétition de cette opération, un soir, je
m'écriai : « Mais qu'est-ce que vous pouvez vous dis-
puter tous les deux ! » Tout cela pour ne pas avouer
qu'elle mettait son traversin pour se protéger de
l'« homme » chaque fois qu'elle avait ses règles !...

Il faut dire que cette mise en scène, ce truquage,
procédait d'un principe qu'on voulait absolument
nous inculquer : nous étions impures, malades, infé-
rieures par rapport à notre seule référence
permanente : l'homme. Notre préoccupation devait
être de ne le contaminer à aucun prix. Encore, les
lois patriarcales s'étaient-elles remarquablement
assouplies : le polochon suffisait à préserver mon
père des règles maternelles. Mais je me souviens que
ma grand-mère, que j'aimais tendrement, n'appro-
chait pas du tout l'homme lorsqu'elle était

« impure ». Elle dormait par terre, dans un coin de la pièce, sur une natte, comme on en fabrique en Tunisie. Mon grand-père, lui, dormait de tout son long et bien à son aise dans le lit conjugal...

Malgré cela, au fond de moi-même, je ne me trouvais ni impure, ni inférieure. Pourtant, on me traitait comme telle. C'était donc cela l'oppression. J'étais une victime.

Mais attention ! Une victime n'est pas forcément passive. Cette oppression qui pesait sur moi, je l'ai assumée. J'ai choisi mon camp, je me suis volontairement mise du côté des opprimés et des victimes ! Mon oppression devint alors révolte, combat ouvert.

C'était décidé : je me battrais. Et pas seulement pour moi. Je me battrais pour tous ceux qui se trouvaient dans le même camp que moi.

Ce grand clivage, je l'ai ressenti très tôt. Il est devenu ma référence permanente. J'ai tout de suite entrevu — c'est un peu schématique, mais il est salutaire que cela le soit quelquefois, en une première approche — que nous étions dans un monde coupé en deux. D'un côté ceux qui opprimaient et qui en tiraient profit et de l'autre, les humiliés et les offensés, les victimes.

À dix ans, je dénonçais déjà : « Ce n'est pas juste ! » Mes parents ne pouvaient pas m'empêcher

d'intervenir à tout bout de champ. « Insolente ! »
J'entends encore mon père : « Tu te prends pour
l'avocat du monde entier ! Qui t'a chargée de
défendre cet individu ? » Personne, bien sûr. Mais il
y avait injustice. « L'injustice m'est physiquement
intolérable ! » C'est ce que j'ai crié au Président
d'un tribunal qui devait prononcer l'expulsion
d'une famille nombreuse complètement indigente
et qui n'avait pas payé son loyer. La loi était contre
elle, pour le propriétaire. C'était évident. Et moi,
jeune stagiaire plaidant l'une de mes premières
affaires, j'étais hors de moi. L'injustice était criante.
Alors j'ai crié. Le protocole de l'audience en a bien
été un peu malmené. Mais contre toute attente et
contre toute jurisprudence, l'expulsion n'a pas été
prononcée.

La France. Le prétoire. J'avorte

Je crois que très tôt cela a été clair pour moi. Je
serai avocate et rien d'autre. Et être avocate, pour
moi, c'était, tout simplement, *défendre*.

J'avais été reçue brillamment au concours des
bourses, ce qui m'avait permis d'entrer au lycée. Il
me fallait maintenant choisir les langues vivantes ou
les humanités.

Je n'ai pas hésité : j'apprendrais le latin et l'italien.
Le latin, je savais qu'il m'aiderait à comprendre le
droit romain. La source même du droit. L'italien,
parce qu'à l'époque, en Tunisie, il y avait une colonie

de quelque 200 000 Italiens. Nous les côtoyions tous les jours. Presque tous prolétaires ou plus démunis encore. Ils avaient grand besoin d'être défendus. Avec les Tunisiens, les Arabes colonisés et... les femmes.

Les femmes, oui.

Tous les partis de gauche du monde s'occupent du prolétariat, du sous-prolétariat, de la décolonisation. Et les femmes ? Il n'y a, paraît-il, pas de raison de s'occuper d'elles *spécifiquement* !

Pourtant, l'injustice première, l'inégalité fondamentale, pour moi, étaient liées à ma condition de femme bien plus qu'à ma pauvreté. Tous les clivages, toutes les discriminations, toutes les pénitences, toutes les obligations se justifiaient dans ces cinq mots : « Puisque tu es une fille... » On ne m'a jamais dit : « Puisque tu es une fille, tu as *tel* avantage. » On ne m'a jamais dit ce que je souhaitais, ce qui doit être : « Fille ou garçon, choisis ta vie. Va de l'avant. Fais tes preuves. » « Je suis une fille » représente pour moi, le cas type de ce qu'on appelle en droit romain une *capitis diminutio*. Une diminution de tous les droits, de toutes les possibilités. J'étais un être humain de seconde zone. Il valait mieux m'y faire. Ma mère, péremptoire, me prêchait l'exemple : « Ta grand-mère a vécu comme ça. Moi, j'ai vécu comme ça. Tu vivras comme ça. Ce n'est tout de même pas toi qui vas changer le monde ! »

Eh bien, moi, j'avais décidé que cela ne se passerait pas ainsi. Comment j'allais m'y prendre ? Je n'en
savais trop rien. Mes idées n'étaient pas encore très
claires sur ce point. Je savais seulement qu'en choi-
sissant mes cours au lycée, déjà, je faisais un pas
important vers mon métier, vers ma libération. Par
ce choix, j'entendais échapper à ce destin de dépendance tracé pour les femmes depuis des millénaires :
le mariage. Changer le monde ? J'en étais loin. À
cette époque, c'est de ma propre sauvegarde qu'il
s'agissait. Or ma sauvegarde commençait par mon
indépendance. Et avant tout, mon indépendance
économique. Car à dix ans déjà, j'avais compris,
senti ce que pouvait être la dépendance...

Ma mère ne travaillait pas, je veux dire à l'extérieur. Car toute la journée, elle s'occupait de nous,
du ménage, de la maison, elle trimait. Avec l'argent
que mon père lui donnait. Le soir, elle devait rendre
les comptes. Tradition de la famille sans aucun
doute, mais qui prenait d'autant plus d'importance
que nous avions peu d'argent.

Quelquefois, mon père piquait une colère terrible. Toute gosse, j'avais déjà compris que l'état
des comptes n'y était pas pour grand-chose. En
fait, tout se jouait sur son humeur vespérale ! Si
elle était bonne, tout allait bien. L'argent du lendemain en poche, ma mère se détendait. Mais si le
vent était à la grogne, immanquablement, nous
avions droit à une scène. J'ai vu ma mère recourir

à toutes les ruses, déployer tout son charme, toute sa gentillesse, user de mille cajoleries pour forcer la bonne humeur de mon père. Tout cela, finalement, pour avoir de quoi lui mijoter sa pitance du lendemain !

Il y avait aussi ce que ma mère appelait ses économies, qu'elle « carottait » sou par sou sur l'argent du ménage. Pour les achats un peu moins indispensables que les autres, il lui fallait cette caisse noire. Mon père ne lui aurait jamais donné son « aval » pour de telles dépenses, pourtant nécessaires. Il connaissait l'existence de cette caisse, j'en suis sûre. S'il feignait de l'ignorer, ce n'était pas par indifférence. Je crois que cette simulation, ces rites, ces mises en scène consacraient la dépendance de ma mère. Et mon père se prêtait au jeu, avec l'indulgence du maître incontesté. Et reconnu comme tel.

La vraie malédiction des femmes, c'est d'avoir à dépenser l'argent gagné par un autre. Très tôt, j'ai su que je ferais n'importe quoi pour ne pas avoir à quémander. Même pour faire mes études en faculté, je n'ai rien demandé à mes parents. Mais je le répète, ils n'avaient pas d'argent, il n'y avait donc rien de choquant à ce qu'ils ne m'en donnent pas.

Mon départ pour la France a été l'occasion d'une petite révolution familiale ! Une lutte de tous les instants pendant plus de trois mois. « Une jeune fille, toute seule ! En France ! » s'exclamait ma mère en prenant le ciel à témoin. Le contexte de l'immédiat après-guerre, curieusement, m'a servie. Les communications étaient bien plus difficiles. À cette époque, ne sortait pas de Tunisie qui voulait. Il fallait des motifs sérieux, officiels, à caractère urgent. Ce que n'avaient pas les études d'une petite Carthaginoise. Voilà sans doute pourquoi mes parents m'ont laissée tranquillement entamer mes démarches. Ils étaient persuadés que je n'arriverais pas à partir. Sans me laisser impressionner, j'ai fait le siège de tous les bureaux de la Résidence générale à Tunis. Inlassablement, je recommençais :

— S'il vous plaît, je voudrais un Ordre de Mission.

— C'est pour quoi ? *(Ton administratif.)*

— Je veux aller faire mes études.

— Ah !... Ce n'est pas assez urgent.

— Mais je dois aussi aller chercher mon frère. Il vient d'être rapatrié d'un camp de concentration allemand.

Sans relâche, ce siège a duré un mois et demi. À la Résidence générale, on me connaissait comme « la gosse bizarre qui veut partir étudier ». À la fin, de guerre lasse, et pour que j'aille me faire pendre ailleurs, on m'a donné mon autorisation.

Pour mes parents, ce n'était pas encore le drame. L'Ordre de Mission était une chose, avoir une place dans un avion en était une autre. Mes parents le savaient. L'expérience a confirmé qu'ils n'avaient pas tort. Chaque jour, je me mettais en route pour l'aérodrome, ma valise à la main. Chaque jour, j'attendais jusqu'à l'heure du décollage, en maudissant secrètement ces « prioritaires » qui prenaient toutes les places. On ne m'appelait toujours pas. Alors, je rentrais chez moi, déçue, humiliée. Chaque jour, pendant un mois et demi, je suis partie et rentrée. À la fin, je ne disais même plus au revoir, tant je me sentais ridicule. J'étais vraiment la seule à croire que mon tour viendrait.

De toute façon, j'aurais attendu jusqu'à ce qu'il vienne. Il aurait bien été forcé de venir ! Un jour que mon père m'avait accompagnée, mon nom a été enfin appelé. Mon père soudain très pâle : « Mais tu ne vas pas partir ? » Il ne voulait toujours pas y croire. Trop tard. Installée sur un banc de bois dans la soute à bombes désaffectée d'un « Marauder », je rêvais déjà. Il s'appelait *la Malle aux Dindes*, ce vieux chasseur-bombardier anglais. Il terminait sa carrière en rapatriant des civils. Je le trouvais fantastique. Tout m'émerveillait. Pour la première fois, je quittais ma famille, je prenais l'avion. Pour la première fois, j'allais voir cette France, pays de tous mes espoirs, de tous mes rêves de petite colonisée aliénée de sa propre culture. À l'arrivée, j'ai ressenti une véritable ivresse.

Je me trouvais seule avec ma liberté.

Je n'ai pas eu peur du tout ! Mais alors, pas du tout, du tout ! J'étais ivre de joie, de liberté. En France ! J'allais faire mes études ! C'était formidable. J'essayais de vivre davantage chaque minute. La première nuit, je n'en ai pas dormi. C'était : « À nous deux la vie ! »

Si jeune, sans argent ou presque, sans chambre, ça n'a pas été facile. Heureusement, mon frère déporté à dix-sept ans pendant la Résistance, venait d'être rapatrié en France. Grâce à lui, j'ai immédiatement trouvé du travail. Je suis devenue téléphoniste au standard américain de Paris-Militaire. Une curieuse aventure, en vérité. D'abord, il fallait parler anglais : je n'en savais pas un mot. C'est vrai qu'avec mes copains, en Tunisie, nous captions souvent les postes américains pour écouter le « hit-parade ». Disons que les intonations ne m'étaient pas complètement étrangères. Mais de là à parler... Alors, pendant trois semaines il m'a fallu tout faire à la fois : apprendre à manipuler les fiches du standard et à me débrouiller en anglais. Voilà comment, branchant à tour de bras Paris à tous les grands théâtres d'opérations militaires, j'ai connecté — comme on dit — Montgomery, Eisenhower. Le tout en code. Une réalité qui prenait des airs de fiction.

Mais j'étais venue pour étudier et rien n'aurait pu m'y faire renoncer. Mon travail au standard me prenait la nuit. Là encore, cet apprentissage du travail nocturne n'a pas été facile. Mais j'avais choisi. Je sentais qu'il n'y avait pas deux définitions possibles de ma nouvelle vie. Et toute mon énergie me portait dans le sens de mon choix. On travaillait par équipe deux ou trois nuits consécutives, suivies de deux ou trois jours de repos. Je profitais de ce répit pour fréquenter la faculté avec assiduité. Ce qui ne m'a pas

empêchée de travailler beaucoup avec des polyco-
piés. J'avais dix-sept ans et heureusement j'étais en
bonne santé.

Je n'ai pas vraiment cherché à me faire des
copains. D'abord, parce que j'étais à l'écoute de moi-
même et de mes découvertes. Je n'étais pas une fille
très liante. Et puis, dans cette Faculté de droit, je
venais de découvrir que le racisme existait aussi
parmi les Français. Cela m'a fait très mal. Dans mon
pays, on apprenait le français à l'école, et toute
l'Histoire de la France. J'avais rêvé de cette patrie
des droits de l'Homme, de cette patrie au frontis-
pice magique : Liberté, Égalité, Fraternité. Qu'en
Tunisie, cette devise fût piétinée par les colons
pieds-noirs, passe encore... Mais par des Français, en
France ! Impossible ! Inconcevable ! Il me fallait
comprendre : pourquoi, comment j'étais devenue
une « sale bicote », une « youpine ». Je me suis
refermée et n'ai pas voulu d'amis.

J'ai ressenti cette attitude plus douloureusement
qu'une insulte. Je m'étais déracinée par amour
d'une culture que j'avais faite mienne. Et on me le
reprochait. J'ai connu des périodes de profonde
solitude. C'est dans ces moments-là que la Tunisie
m'a le plus manqué physiquement. Le soleil, la mer,
ça ne constituait pas seulement un paysage pour
moi. Ils m'étaient essentiels. Ils me reliaient à mes
origines aussi organiquement que le cordon ombilical à ma mère. On ne se remet jamais de cette

absence. Maintenant encore, quand j'en parle, on
ironise, on ne me prend pas au sérieux : « la bou-
gnoule et ses climats ». Pourtant, je le sens bien :
chaque automne qui commence me pèse du poids
de cette irréversibilité : plus de soleil, plus de cette
lumière où tout baignait, plus de ces oranges qui
éclataient en couleur, à portée de la main, des
lèvres...

Débarquée à Paris, sans manteau, en socquettes,
j'avais froid. Toute recroquevillée sur moi-même, je
ne retrouvais plus ma chaleur. En plus, je me nour-
rissais mal. Peu d'argent, les tickets de rationnement
des J 3, peu de sommeil.

J'ai fini par tomber malade.

Je n'en pouvais plus. Il a fallu que je m'arrête, que
je rentre chez moi. Mes parents m'ont accueillie, soignée avec amour. J'ai retrouvé mes racines : climat
et famille.

Je me souviens de mes retrouvailles avec la
Tunisie. Ces merveilleuses balades à travers Sidi-
Bou-Saïd : autant de fêtes somptueuses. Ce soleil
brûlant, ce promontoire rouge sombre, les ruelles
en dédale, éclatantes de blancheur, jusqu'aux
rochers, jusqu'à la mer, douce comme une peau que
l'on aime... C'était mon cadre de toujours, jadis
banal à force d'être quotidien. Sa splendeur ne
m'est apparue comme une source de vie, vraiment
essentielle et fulgurante, qu'à mon retour d'« exil »
comme disait ma mère.

Cet exil qui était pourtant la condition de ma
liberté.

Aussi, après un repos de quelques mois, je me suis sentie assez forte et, bien sûr, je suis repartie.

Je me suis retrouvée enceinte à dix-neuf ans.

Avoir un enfant, je ne voyais pas très bien ce que cela signifiait. Un refus radical de la maternité m'emplissait entièrement. Mon corps m'avait trahie. Il m'avait tendu un piège. Un spermatozoïde avait rencontré par hasard un ovule, et il aurait fallu laisser faire ? Autant me nier moi-même. Je ne voyais pas pourquoi j'aurais dû laisser le soin au hasard de déterminer toute ma vie et de décider d'une naissance, d'une autre vie. À vrai dire, cette idée m'était étrangère. La maternité, je n'en savais pas grand-chose. Sauf qu'elle me semblait fondamentale. Bien trop fondamentale pour ne pas être l'objet d'un choix responsable. Accidentelle, en tout cas, elle devenait intolérable. Or c'était l'accident. Et il fallait l'enrayer. Je me sentais prête à tout et à n'importe quoi.

À cette époque, on m'attendait en Tunisie. Pas question d'en dire un mot chez moi. Mon père m'aurait tuée, ou se serait tué, ou aurait fait les deux, ou je ne sais quoi encore... Sa fille enceinte et célibataire, c'était pour lui *impossible*. Tout simplement *impossible*. Et puisqu'il ne l'imaginait pas, ça n'existait pas. Ça ne pouvait pas exister. C'était comme l'accident d'auto ou la mort. C'était pour les autres... Dans le silence, dans la solitude la plus totale, je me suis mise en quête de « l'adresse ». J'ai

fini par en trouver une. On m'a mis une sonde. Un
souvenir abominable. J'ai fait une infection. Une
fièvre de cheval. Grâce à une amie d'ami, j'ai pu
enfin être admise d'urgence à l'hôpital.

Tout s'est passé très vite. Je suis rentrée à l'hôpital
le matin. Quelques heures plus tard, j'en repartais.
Mais ces quelques heures restent l'un de mes plus
abominables souvenirs. On m'a fait un curetage à
vif.

J'entends encore la voix mauvaise du jeune
médecin : « Comme ça, tu ne recommenceras plus. »
(Ce en quoi il se trompait d'ailleurs.) J'en suis restée
pantelante, brisée. Plus tard, j'ai assimilé cela à la
torture. Un tortionnaire de sang-froid, volontairement, décide de me faire souffrir, de me désinté-
grer. Il attend que je demande pardon, que je crie :
« Oui, je ne le ferai plus. » J'avais eu atrocement mal.
Pourtant j'aurais tout enduré, tout, mais je serais
morte plutôt que de supplier ce type qui se délectait
à vouloir me casser...

Il m'a semblé qu'on voulait me faire payer jusqu'au bout. En sortant de la salle où l'on m'avait fait
ce curetage, je suis restée dans un coin, assise sur un
banc. Personne ne s'est soucié de moi. Je ne pourrais pas dire combien de temps je suis restée,
comme ça, immobile, prostrée, anéantie. Anéantie
par la douleur mais aussi par cette découverte de la
torture, de son existence. Anéantie encore parce
que l'on m'avait torturée pour sanctionner ma

liberté de femme. Enfin, je me suis levée et je suis
rentrée chez moi. Toujours seule.

Pratiqué comme il l'avait été, je ne vois pas
comment cet avortement aurait pu ne pas être un
traumatisme. J'avais découvert l'oppression sous sa
forme la plus barbare, et c'est cela qui m'avait traumatisée, bien plus que l'acte d'avorter lui-même. On
avait voulu me marquer physiquement. Pour me
rappeler que je dépendais des hommes. Pour me
châtier d'avoir voulu m'évader.

Mauvais calcul. En dehors de cette souffrance gratuite, je ne regrettais rien. La biologie m'avait tendu
un piège. Je l'avais déjoué. Je voulais vivre en harmonie avec mon corps. Mais pas sous sa dictature.
En fait de culpabilité, je me sentais libre à nouveau.

La séance de torture ne m'a pas servi de leçon
quoi qu'ait espéré le jeune médecin répressif. Il m'a
été donné, deux fois encore dans ma vie, d'avorter.
Et les deux fois je n'ai ressenti ni peur ni hésitation.

L'« accident », comme on dit, je le vivais, comme
une agression physique intolérable. Une « chose »
me rongeait de l'intérieur, contre laquelle je ne pouvais rien. Elle poussait sans que je le veuille, se déve-
loppait inexorablement. Le temps passait. Les
mâchoires du piège se refermaient sur ma vie qui ne
se remettrait jamais de cette blessure. Appeler un
fœtus indésiré une « chose » qui pousse, qui ronge,
peut paraître scandaleux, choquant ! Pourtant c'est
ainsi.

Choquante ou pas, j'ai retrouvé — à je ne sais plus combien d'années de distance — cette impression du piège qui se referme. Toutes les femmes qui refusent viscéralement une grossesse savent de quoi je parle ! Un refus si entier que rien ne peut l'entamer. Ni l'évocation d'un beau bébé, ni celle de la souffrance physique, ni les risques de stérilité ou de mort. Une seule évidence, obsessionnelle : « Il faut que j'avorte. »

La dernière fois, c'était il y a douze ou treize ans. J'avais deux fils, désirés tous les deux. Je pratiquais une contraception artisanale. Un diaphragme dont je savais mal me servir. Bref, je me suis retrouvée enceinte. J'étais moins démunie qu'à dix-neuf ans. Un ami gynécologue m'a fait entrer en clinique à Paris. Anesthésiée, avortée, curetée en moins de vingt-quatre heures. Et heureuse. Je me souviens : en prenant le taxi pour rentrer chez moi, je me sentais revivre, redevenir moi-même. Je repartais avec un nouvel acquis de liberté. Presque une nouvelle vie.

Quand j'attendais Jean-Yves, mon premier fils, je l'appelais déjà, à quelques semaines de grossesse, « mon enfant ». Le désir que j'en avais le faisait vivre en moi qui étais toute chaleur, toute tendresse, tout amour pour lui.

J'étais habitée par une curiosité qui me poussait à aller plus loin, le plus loin possible. Je voulais connaître cet accomplissement physique, savoir comment cela se passait. Disons que j'étais dans une période optimiste, heureuse. Je voulais donner la vie. J'ai vécu cette grossesse dans une joie immense. Parfaitement en accord avec moi-même.

Je me souviens très bien de la qualité de mon attente, et de son intensité. Tous mes sens en alerte, je m'écoutais. J'essayais d'entendre cette vie en train de se nouer. Une découverte de toutes les minutes. J'ai même tenu un journal : pour ne rien perdre. Je m'observais souvent. Je voulais être sûre de ne pas rater un changement dans mon comportement, dans mon affectivité, dans ma relation à autrui.

Cet enfant que je portais, n'a guère provoqué en moi un besoin d'attentions, de cajoleries supplémentaires, besoin en général suggéré par l'entourage pour faire naître cette régression affective que l'on remarque chez certaines femmes enceintes. On les enferme ainsi dans une espèce de vulnérabilité.

Avec ce processus de vie déclenché volontairement, je me sentais aller de l'avant. J'y trouvais des forces supplémentaires pour mener mon combat. Il était question de tout, sauf de m'arrêter. Ma maternité, mon métier d'avocate, pour moi, c'était la même lutte. La lutte contre toutes les formes d'oppression, pour une responsabilité à part entière. M'imposer de faire l'une de ces tâches fondamentales sans l'autre, revenait à me mutiler, à me tronquer d'une partie essentielle de moi-même. Je voulais être mère et avocate tout à la fois, accomplir pleinement ces deux vocations simultanément et l'une par l'autre. Seul un très gros accident de santé m'en aurait empêchée.

Au début de ma grossesse, je ne savais pas très bien où j'allais, malgré ma détermination. C'était un peu un défi : « Je tiendrai. J'y arriverai. » Ensuite, j'ai très vite découvert que je n'étais diminuée en rien. Au contraire. Psychiquement, intellectuellement, je me sentais multipliée. L'intensité de mon choix décuplait mes facultés.

Durant les premiers mois, comme la plupart des femmes, j'ai eu quelques malaises, des vomissements, des incidents de parcours. J'ai refusé de m'y intéresser. Et quels qu'ils soient, je me suis toujours arrangée pour ne pas décommander de rendez-vous, pour être présente à l'audience. De même, vers le huitième ou le neuvième mois, je me sentais lourde, j'avais du mal à me mouvoir. Et quand il a fait 40° à Tunis, avec mon gros ventre, j'ai peut-être un peu plus souffert de la chaleur qu'une autre. Cela dit, ma vie n'en a pas été modifiée pour autant.

Oui, je me souviens bien. Je devais dormir un peu plus. Et surtout, j'avais pris l'habitude de travailler le matin, moi qui aime vivre le soir, à cause de la fraîcheur. Je suis allée au Tribunal jusqu'au dernier moment sans m'être sentie une seule fois diminuée ou inférieure à un homme. Je me suis d'ailleurs appliquée à ce que ma grossesse ne se voie pas parce que je vivais dans un monde d'hommes. Un monde dans lequel une femme, en temps normal, n'est déjà pas l'égale de l'homme. Un monde dans lequel une femme enceinte est encore diminuée et quasiment invalide. Si j'étais allée voir le Président du Tribunal pour lui dire : « Plaignez-moi un peu. Et comprenez bien que je ne pourrai pas faire autant qu'un avocat », il est évident qu'il aurait *compris*. L'idée d'agir ainsi m'était insupportable.

En plus, je ne pouvais pas me payer le luxe de voir mes clients déserter mon cabinet. Choisir une avocate, même maintenant, lui confier sa vie, sa liberté, son honneur, sa fortune, c'est déjà faire preuve d'une grande ouverture d'esprit. Choisir, en plus, une femme engagée politiquement, comme je l'étais à l'époque — et comme je le suis toujours — c'était plus que de l'ouverture d'esprit, c'était témoigner d'une certaine audace.

Mais quand l'avocat était une femme, que cette femme était de gauche, et que, de surcroît, elle était enceinte, lui confier un dossier était pure folie ! J'ai donc eu un réflexe de défense contre ces préjugés. Une nécessité impérieuse m'obligeait à ne pas perdre mon unique ressource : les maigres honoraires de mon cabinet naissant. Alors, toute mon énergie, je l'ai employée à ce qu'on ne s'adresse pas à moi comme à une avocate enceinte. Mais bien comme à une avocate-avocat. Et pour cela, il me fallait cacher cette maternité. Grâce à ma robe d'avocate, cela n'a pas été trop difficile. Dès que je l'avais enfilée, mon ventre disparaissait dans l'ampleur des plis noirs. Je me présentais devant le Tribunal, tranquille. Doublement forte de mon secret et de ma volonté de gagner la cause que je plaidais.

Il faut bien reconnaître que ça ne marchait pas mal du tout. On commençait à remarquer, chez la jeune stagiaire que j'étais, ce parti pris d'affronter de plein fouet les difficultés. J'étais devenue un petit peu spécialiste des Tribunaux militaires. J'y plaidais souvent pour des délits de droit commun. J'étais l'avocate de tous les « joyeux » des bataillons disciplinaires du Sud Tunisien.

Nous étions au début de l'année 1952. À cette époque ont commencé ce qu'il est convenu d'appeler les événements de Tunisie. Aux premières lignes, le parti du Néo-Destour de Bourguiba. Ses thèmes de lutte : d'abord l'autonomie. Puis, très vite, l'indépendance. Lutte qui s'est traduite par la création de maquis dans le pays et par le déclenchement d'un terrorisme urbain, en particulier à Tunis. La répression ne s'était pas fait attendre. Toujours selon le même schéma : création de Tribunaux militaires, lois d'exception, torture, audiences expéditives, condamnations.

C'est dans ce contexte que j'ai fait mes premières armes au Barreau. La Tunisie, mon pays d'origine, luttait pour son indépendance. À croire que les événements venaient à ma rencontre ! Indubitablement, cela restera toujours comme l'un des temps forts de ma vie.

Ces procès me révoltaient. Fabriqués de toutes pièces, ils ne respectaient en rien les droits de la défense. C'était un simulacre de justice. Et les tribunaux ne désemplissaient pas. Les accusés, militants pour l'indépendance, maquisards, Tunisiens tout simplement y étaient traduits par centaines. Cette parodie de justice exigeait cependant la présence d'avocats. Et il y en avait peu ! Dans sa grande majorité, le Barreau français de Tunisie était l'expression économique et politique de la colonisation. Réactionnaires donc, les avocats français s'étaient, presque tous, récusés... mais ils continuaient d'affirmer avec beaucoup d'élégance que les droits de la défense étaient sacrés.

Les avocats tunisiens avaient été, pour la plupart, déportés dans des camps au sud de la Tunisie. Ils devaient cet exil à la sollicitude du général Garbey, qui fut à la Tunisie ce que le général Massu devait être à l'Algérie.

Notre rôle à nous, jeunes avocats fraîchement venus à cette lutte, consistait à essayer de leur venir en aide, par tous les moyens. En leur faisant passer du courrier, des colis, des médicaments, en veillant à ce que leur intégrité physique soit au minimum respectée. Nous avions aussi décidé de faire appel, de temps en temps, à de grands avocats de Paris afin d'attirer l'attention de l'opinion publique française et internationale. Il fallait rendre publics les scandales de cette répression.

En attendant, le Bâtonnier de l'époque s'était vu contraint de désigner d'office des avocats. Avec d'autres, j'ai ainsi été commise.

Quel ne fut pas mon étonnement, quelques jours après ma désignation, de recevoir un coup de téléphone affectueux et plein de bonne intention de notre Bâtonnier. Il m'avait connue toute petite fille :

— Tu comprends, j'ai bien réfléchi. Je vais te relever de ta commission d'office pour les Tribunaux militaires... Non ! ce n'est pas possible ! Dans des affaires comme celles-là, on ne peut pas désigner des femmes !

Un instant, je suis restée sans voix. J'ai enfin réagi :

— Mais pourquoi ?

— Parce que ce sont des affaires politiques.

— Mais pourquoi des femmes ne plaideraient-elles pas des affaires politiques ?

« Pourquoi n'auraient-elles pas précisément la possibilité d'élaborer une tribune politique, de frapper l'opinion publique ? Pourquoi, d'ailleurs, ne seraient-elles pas sensibles à la situation dans laquelle elles vivent, de la même manière que les hommes ? Pourquoi ne prendraient-elles pas partie pour l'indépendance du peuple tunisien contre la colonisation ? Contre l'exploitation et l'humiliation ? Pourquoi ? Oui, pourquoi ?

« Et, pourquoi, une avocate ne trouverait-elle pas les mots pour faire passer tout cela, si elle le sentait, comme un avocat ?... »

Je martelais mes questions, brusquement durcie.

— Tu sais, c'est dangereux, m'a répondu le Bâtonnier, soudain elliptique.

Beaucoup de grenades et de bombes étaient lancées dans la casbah. Des *couffins* explosaient dans les trolleys. Et pour se rendre au Tribunal militaire, il fallait immanquablement traverser la casbah. Le danger existait. C'était un fait. Et après ?

— Mais enfin, vous avez bien désigné des avocats ?

— Oui, mais des avocats hommes.

— Pourquoi est-ce que le danger d'une bombe serait plus effrayant pour une femme que pour un homme ? Pourquoi est-ce qu'une bombe tuerait plus facilement une femme qu'un homme ?

Le Bâtonnier commençait à s'impatienter :

— Je ne te comprends pas...

En effet, il ne comprenait plus.

Les deux autres avocates, également désignées, et plus anciennes que moi au Barreau, avaient déjà demandé à ne pas plaider.

— Elles estiment qu'elles n'ont pas à plaider pour des Arabes, avait conclu le Bâtonnier.

— C'est leur affaire, ai-je dit, mais moi...

— Mais toi, par-dessus le marché, tu ne vas pas tarder à accoucher.

Il m'avait interrompue, presque indigné.

— Et moi, je trouve que ce n'est pas une raison. En tout cas, c'est à moi d'en décider. J'ai été désignée, je plaiderai...

Le sens de cette discussion, de toute évidence, échappait au Bâtonnier. Ce qu'il voulait, c'était me libérer d'un fardeau. Il pensait très sincèrement que ce n'était ni normal ni sérieux de désigner une jeune avocate enceinte pour « monter » aux Tribunaux militaires. Mais dégager sa responsabilité de ce qui pouvait m'advenir lui paraissait plus important que tout. Il m'avait avertie. Comme il m'aimait bien, il avait même un peu insisté pour me

convaincre. Il n'avait pas réussi. Il avait fait son
devoir, l'« incident » était clos. Il raccrocha...

Je n'ai donc pas cessé de plaider ces procès, et
d'autres, devant toutes les juridictions. Je plaidais
parce que ça me semblait aller dans le sens de mon
accomplissement. Je faisais comme les autres, et jusqu'au bout. La plaisanterie d'ailleurs au Palais de
Justice était toujours la même : « Gisèle a décidé
d'accoucher à l'audience. » Le matin de mon accouchement, je m'étais présentée comme d'habitude à
la barre du Tribunal et j'avais plaidé. C'est seulement vers trois ou quatre heures de l'après-midi que
je suis entrée en clinique. J'ai accouché dans la nuit.
    Là encore, j'avais refusé toute cette préparation
qui consiste à se dire à partir du huitième mois, tous
les matins : « Je vais accoucher, je vais accoucher.
Donc, je ne peux plus rien entreprendre. J'attends.
Je n'ai plus que ça à faire... attendre... » La passivité,
l'inertie, l'attente, tous les trucs sont bons pour
mettre à l'écart une femme quand elle se trouve
engagée dans une lutte. L'ai-je entendu le : « Dans
votre état, vous ne pouvez pas faire ceci ou cela... »
et toujours avec le ton évangélique de ceux qui peuvent tout supporter... sauf que l'on dérange leurs
schémas : les idées reçues !...
    Eh bien, moi je pouvais... je l'avais décidé.
    L'accouchement devait être un jour comme les
autres, après celui de la conception. Il fallait tout
faire sauf attendre dans la passivité. Il fallait conti-

nuer à vivre, pour donner la vie : il ne pouvait pas y avoir de coupure.

Je dois dire que c'est dans la plus grande joie que j'ai eu mon premier fils. À cause des « événements » les autorités militaires avaient établi un couvre-feu rigoureux. J'ai donc accouché seule, tard dans la nuit. J'ai beaucoup souffert, beaucoup hurlé. Je n'avais appris aucune méthode de préparation à ce qui devait être une chose naturelle : l'aboutissement physique et psychologique normal d'une grossesse désirée. On m'a accouchée aux forceps. Cette épreuve m'a épuisée. J'avais dans la tête tout ce que devait être l'accouchement. Ma mère m'avait abondamment décrit les « douleurs », ce que j'avais appelé par la suite le tremblement de terre dans les reins... Elle m'avait dit aussi qu'on oubliait. Mais si elle parlait d'oubli pour raconter l'épreuve, c'est que c'était vraiment épouvantable !

Pendant un moment, cet accouchement éprouvant a été pour moi l'ombre au tableau. Mais finalement, on oublie, c'est vrai. Enfin, pas tout à fait. Quand j'ai voulu avoir mon deuxième enfant, j'étais fermement déterminée à réussir non seulement ma grossesse mais aussi mon accouchement. Et je dois dire qu'il s'est beaucoup mieux passé que le premier. Grâce aux balbutiements de cette méthode de l'accouchement sans douleur que je m'étais mise un petit peu à étudier. Et mon deuxième fils est né dans d'excellentes conditions. Pour mon troisième, je crois avoir accouché en bavardant !...

Je me souviens très bien des réactions du tribunal quand je m'avançais à la barre. Avec mes vingt ans, je les intriguais. On me toisait, de haut en bas. Sans hostilité d'ailleurs. « Le charme de la jeunesse. » On m'accueillait avec un sourire amusé. L'œil des magistrats devenait vague quand je commençais à plaider. Leur pensée aussi... « Qu'est-ce que cette jeune femme peut bien faire ici, à parler de choses qui ne sont ni de son âge ni de son sexe ? » Tel était à peu près le climat. Éprouvant au point que pendant un moment, je me suis ingéniée par le vêtement, par la coiffure, à me vieillir, à m'enlaidir. Pour leur faire oublier que j'étais une femme. Pour qu'ils m'écoutent. Pour qu'ils me prennent au sérieux. Au début de chaque plaidoirie, je comptais dix minutes, un quart d'heure, consacrés uniquement à forcer l'attention des juges. Dix minutes, un quart d'heure perdus parce que j'étais une femme, et que je voulais, à la barre, n'être qu'une avocate.

J'ai beaucoup travaillé. Des jours et des jours et des nuits entières ! Quand, par exemple, dans un procès, l'adversaire faisait état, dans ses conclusions, d'un ou deux arrêts de la Cour de Cassation, j'en cherchais dix contraires. Tous les commentaires doctrinaux, toute la jurisprudence en faveur de ma thèse, je les avais. Tout ce qui pouvait jeter un doute, rendre discutable le point de vue adverse, je le trouvais. Et en plaidant, je le développais avec passion. Au fur et à mesure que

je plaidais, je voyais l'attitude de mes juges se transformer. Ceux qui s'étaient étonnés de ma présence
— « Mais, dans votre robe, vous avez l'air d'une com-
muniante ! », s'était exclamé l'un deux — à présent
m'écoutaient. Comme ils auraient écouté un homme.
Ils découvraient qu'une femme pouvait être une
juriste ! Pour eux, le droit scientifique, rigoureux,
c'était un problème d'homme. Une avocate, elle,
pouvait tout au plus émouvoir ou séduire. Mais
convaincre « à froid » certainement pas.

Mes adversaires utilisaient très souvent contre
moi le fait que j'étais une femme. Pour nos
confrères masculins, trop souvent, les avocates sont
avant tout des femmes qui s'essayent à des jeux
d'homme. Or je ne voulais pas être une *femme qui
plaide* mais une *avocate*. Comme on dit un *avocat*, et
non un *homme qui plaide*. Pour le faire admettre, j'ai
dû prendre quelques colères très saines...

Succès, échecs, tout était prétexte à nous ramener
à notre dimension inférieure de femme. Si je
gagnais une affaire, il m'arrivait d'entendre mon
adversaire expliquer à son client, un rien égrillard :

— Qu'est-ce que vous voulez ! Elle est jeune. Elle
a du charme. Elle est plaisante. Contre la séduction,
nous, pauvres hommes, nous sommes bien peu de
chose !

Et quand ils gagnaient :

— C'est une femme. Comment vouliez-vous
qu'elle comprenne quoi que ce soit à cette interprétation de jurisprudence ? Elle a été dépassée...

Un jour, lors d'un procès, mon adversaire a été

pris au dépourvu par un argument « coup de
poing » découvert dans un arrêt récent. Il devait
l'ignorer. Désagréablement surpris, arborant cependant un sourire de commande, il se tourna vers
moi :

— Je voudrais dire, devant cette jeunesse, ce
charme...

Il n'a jamais pu terminer sa phrase. J'ai littéralement explosé :

— Nous sommes tous des avocats, au même
titre. Nous parlons du même droit. Nous traitons
les mêmes dossiers. Nous avons les mêmes privilèges et les mêmes obligations. Alors utiliser l'argument du « jeune et charmant confrère », c'est tout
simplement déloyal. Et, de plus, c'est avouer sa
propre incapacité ou le peu de sérieux de sa
démonstration !

Bien sûr, cela avait jeté un certain froid. Les juges
souriaient, gênés sans très bien comprendre. Pour
eux, mon confrère avait été plutôt gentil, galant
même. Je devais me méprendre.

Me méprendre ? Il me suffisait d'entendre mon
adversaire tenter d'expliquer à son client que son
procès était perdu. Et gagné par une femme ! Plus
que son talent d'avocat, c'est son honneur d'homme
qu'il sentait menacé. Il tentait alors de se ménager
une porte de sortie honorable :

— Les femmes ont des arguments, on ne sait
jamais comment les prendre ! Je n'aurais pas dû la
ménager...

Voilà où menait la galanterie !

Pour ma part, j'avais très bien compris dans quelle voie je m'engageais. Et j'entendais qu'il n'y ait pas la moindre bavure. Pas de complicité par le silence, par l'acceptation d'un certain langage. Il est un langage que tiennent les hommes et que les femmes ne devraient jamais laisser passer. Les mots ne sont pas innocents. Ils traduisent exactement une idéologie, une mentalité, un état d'esprit. Laisser passer un mot, c'est le tolérer. Et de la tolérance à la complicité, il n'y a qu'un pas. Mes confrères ont fini par se faire une raison. Mais là encore, quel effort ! Quelle attention de tous les instants. Pendant des années et avant chaque procès, je savais qu'il faudrait me battre doublement. Pour gagner ma cause, je devais vaincre deux fois mes adversaires. Parce que j'étais une femme d'abord. En tant qu'avocat ensuite.

En dehors du Tribunal j'avais un mari, des enfants, un foyer. Et souvent, j'imaginais mon adversaire, devant ses dossiers bien rangés, faire une croix dans son agenda au jour où il avait inscrit : « Affaire X contre Y ». Tous ses arguments étaient prêts. Son après-midi avait été bon. Deux ou trois heures de travail efficace. Maintenant, il attendait l'heure du dîner, confortablement. Les menus ? L'école des enfants ? Les problèmes ménagers ? Ce n'était pas de son ressort. Sa femme, saine division du travail, était là pour ça.

Pendant ce temps, je me dispersais toute la

journée à faire tout ce que l'on exige d'une femme, jeune mère de famille, avocate, et sans beaucoup d'argent.

Le soir, enfin, je me mettais à la préparation de mes dossiers. Et à deux ou trois heures du matin, je rêvais au sommeil de mon adversaire. Le lendemain matin, en préparant le petit déjeuner de la famille, je me disais : « Le Bâtonnier, frais et dispos, est en train de se raser en sifflotant ! »

Les yeux cernés, gorgée de café, je me sentais prête. L'enjeu me galvanisait. La vie, la liberté, l'honneur d'un homme. On m'avait fait confiance, alors je ne sentais plus ma nuit de veille. Oui, j'étais prête. Il m'est arrivé, je m'en souviens, de venir au Tribunal, avec mon dernier-né dans les bras. Je n'avais pas pu, ce jour-là, le faire garder. Gentiment, la bibliothécaire du Palais de Justice à Tunis me le prenait, le temps de l'audience. Puis je repartais à l'assaut de ma journée.

Faire en une seule fois la cuisine de toute la journée, recevoir mes clients l'après-midi, et me préparer à repasser une nuit blanche si le procès du lendemain était important.

Le procès de Moknine

Je me souviens d'un moment de ma vie où tout s'est entremêlé de façon dramatique. À Tunis, se déroulait un très grand procès politique, connu sous le nom de Procès de Moknine. L'un des épi-

sodes, les plus importants, je crois, de la lutte pour
l'indépendance de la Tunisie.

Il y avait eu à Moknine, à une centaine de kilomètres de Tunis, une grande manifestation de
rue. Pour l'« *Istiqlal* », l'Indépendance. Une émeute
avait suivi. Les gendarmes avaient tenté de réprimer brutalement la manifestation. Certains d'entre
eux, pris à partie par la foule, avaient été massa-
crés. On a arrêté pêle-mêle manifestants, responsables destouriens et pauvres *fellahs* étrangers aux
faits[1].

Restait à faire le procès, moyen pour la
« présence » française de marquer un grand coup.
La justice coloniale a fort peu de chose en commun
avec la vraie justice. Il faut réprimer avant tout. Et
faire un exemple. Frapper l'esprit de la population
pour la maintenir dans un climat de terreur. Il
importe peu, dès lors, de condamner les vrais coupables. Il importe peu de respecter les droits de la
défense, les droits de l'Homme.

Ce procès devait ressembler à une cérémonie
expiatoire. Pour ce faire, on n'avait pas lésiné sur
les moyens. C'est dans la salle des fêtes du Bardo,
près de Tunis, que s'était installé le Tribunal militaire. Sur les tréteaux de bois, destinés ordinairement à l'orchestre, on avait installé une longue table
recouverte de drap rouge. Le Président-Colonel sié-

---

1. Les cinquante-sept musulmans, accusés d'avoir participé au
massacre de Moknine le 23 janvier 1952, furent jugés par un tribunal militaire. Le procès dura une semaine (18 au 25 mai 1953).

geait, entouré de ses juges officiers. « Au nom du
peuple français », les accusés — que l'on prétendait
condamner précisément parce qu'ils voulaient
parler au nom du peuple tunisien — se levaient
quand la formule du grand malentendu tombait
dans le prétoire. Autour du baraquement, habillé de
drapeaux tricolores pour la circonstance, des soldats armés de mitraillettes montaient la garde. À
l'intérieur, dans ce décor baroque et solennel, des
hommes et une femme dénonçaient la sinistre mise
en scène. La défense, les avocats. Des confrères tunisiens, un éminent avocat parisien, spécialiste des
procès d'assises, Me Paul Baudet, et moi-même. Moi,
enceinte et décidée à avorter.

Malgré une contraception archaïque — « débrouillez-vous... Ogino... Vous n'avez qu'à calculer... »
m'avait dit mon gynécologue — je m'étais retrouvée
enceinte. J'étais alors seule à subvenir aux besoins
du ménage : mon mari préparait des concours
administratifs. Très peu d'argent donc. De grosses
difficultés pour faire garder Jean-Yves (treize mois)
qui ne marchait même pas. Un autre enfant, c'était
une cassure dans ma vie. Une cassure que je ressentais comme une déchirure profonde, comme une
régression par rapport à mes choix. Je ne voulais
pas d'enfant. C'était clair. Mon mari et moi l'avons
donc décidé d'un commun accord : j'avorterai.

Il me fallait me consacrer entièrement à un
procès où j'assurais la défense de militants dont
quelques-uns encouraient la peine de mort. Procès
particulièrement significatif sur le plan politique.

La presse internationale était présente. Les réactions de l'opinion publique, à l'étranger et en France, allaient sans nul doute éclairer le gouvernement français.

J'avais donc besoin de toute ma liberté d'esprit ; mais, la liberté d'esprit, cette liberté intérieure, quand se développe dans votre ventre quelque chose dont vous ne voulez pas, comment peut-elle exister ? Une hypothèque paralysait mon intelligence, annihilait mes facultés, pesait sur ma vie. Il me fallait la lever. Et vite.

Je ne pouvais pas oublier le curetage à vif de mes dix-neuf ans. Mais ma décision était prise. J'ai procédé exactement de la même manière. Toujours aussi peu d'argent. Toujours aussi peu de relations « utiles ». Je suis allée trouver une faiseuse d'anges. Dans la plus pure tradition. Tout ce que nous avons entendu au procès de Marie-Claire à Bobigny, dans d'autres procès, je l'ai vécu moi-même.

Au fond d'une cour, un appartement vétuste. Une cuisine crasseuse. Une femme m'a mis une sonde. Moyennant argent, bien sûr. Mais elle courait des risques, et je me disais que j'aurais dû avoir un mouvement de sympathie pour elle. Pourtant tout était trop sordide. Ma douleur, cette cuisine, cette femme, véritable caricature de matrone.

— Vous allez saigner dans la nuit. Dans les vingt-quatre heures en tout cas. Vous reviendrez me voir. Je vous enlèverai la sonde et ce sera terminé, s'était-elle contentée de me dire.

Le lendemain, je suis donc retournée la voir. Il

fallait garder la sonde un jour de plus. Le surlende-
main, cela n'allait pas non plus. Entre-temps s'était
ouvert le procès. J'y suis allée, avec ma sonde dans le
ventre. Je commençais à souffrir terriblement.
Grosses contractions, malaises. Pendant l'interrogatoire des accusés, les dépositions des témoins, j'étais
constamment debout, près de la barre.

Nos clients ne parlaient que l'arabe. Nous, les avocats qui connaissions cette langue, étions aux
aguets, surveillant chaque mot de l'interprète. De la
fidélité de la traduction, dépendait la cohérence des
faits rapportés au juge et à la presse, le niveau de
l'expression politique des militants. Je nous revois
tous, les avocats, tous debout, aux côtés des accusés.
Si nos crayons avaient été des fusils, nous n'aurions
pas eu davantage l'impression d'être des combattants, un peu les gardiens de la liberté de ce pays.
Jamais, je ne me suis sentie aussi présente aux côtés
de ces opprimés. Jamais je ne me suis sentie aussi
opprimée moi même. Je luttais de toutes mes forces.
Une fatigue atroce m'envahissait. Des vertiges me
brouillaient la vue. Une douleur intolérable, fulgurante m'irradiait tout le ventre.

Commencées à huit heures du matin, les
audiences se terminaient le soir, quelquefois tard.
J'ai tenu bon. Mais je n'avortais toujours pas, malgré
les souffrances. Je me suis de nouveau précipitée
chez ma « praticienne ». « Ce n'est rien, m'a-t-elle dit.
Je vais vous enlever cette sonde et vous en mettre
une autre. » Je suis retournée au Tribunal le lendemain. Avec une nouvelle sonde. De nouveau, cette

souffrance insupportable. De nouveau, ces malaises. De nouveau, l'échec.

Pendant deux jours, trois jours, huit jours, avec une sonde, je suivais les débats et j'attendais. Mes confrères me disaient que j'avais l'air fatiguée. Je n'arrivais même plus à me reposer la nuit. Pour m'adresser aux juges, je me souviens m'être cramponnée littéralement à la barre. Mais j'avais décidé de ne pas avoir d'autre enfant. Et de plaider. Après six jours, nouvelle sonde. Cette fois, je n'en pouvais plus. Je me suis évanouie avant la fin de l'audience. Un confrère m'a ramenée chez moi, J'ai prétexté une crise d'appendicite. Le médecin de famille m'a expédiée d'urgence à l'hôpital. Je commençais une magnifique infection. On m'a fait un curetage. Très bien d'ailleurs

J'ai pourtant éprouvé un sentiment épouvantable ! Je ressentais ma situation comme paradoxale, absurde. J'avais la charge de défendre la vie de plusieurs militants. Je parlais au nom de la dignité et de la liberté d'un peuple et je devais le faire dans cet état, en train d'essayer désespérément d'avorter, par des moyens moyenâgeux. Je n'avais donc pas le droit de disposer de moi-même. Je dépendais de données biologiques que je ne pouvais pas contrôler. Mon angoisse, cette lutte, aucun des hommes de ce procès ne les connaîtrait jamais. Je me disais :

« Je suis une avocate. J'ai donc un certain pouvoir. J'ai le pouvoir de la connaissance, du savoir, de la parole, du droit. Je peux expliquer, convaincre. Et pourtant, je suis là debout avec une sonde dans le ventre et je ne tiendrai pas jusqu'à la fin. »

Pour la première fois de ma vie, j'ai éprouvé un doute sur le pouvoir qui était le mien. Je m'interrogeais : « Être avocate, est-ce rigoureusement la même chose qu'être avocat ? »

Est-ce que je pouvais, femme, agir sur quelque chose, sur quelqu'un, sur la justice, moi qui ne pouvais librement agir sur moi-même ? Est-ce que j'avais, dans ces conditions, le pouvoir de sauver un homme ? Et je pensais bizarrement que, défenseur d'un accusé, j'étais moi-même, au même moment, une accusée en puissance. J'enfreignais la loi, j'avortais. Mais j'étais une avocate. J'étais en somme délinquante et défenseur. En contradiction totale avec ma vie quotidienne, professionnelle. Je me sentais au cœur d'un conflit. Le conflit de toutes les femmes.

Pendant les vingt-quatre heures que j'ai passées à l'hôpital, j'ai réfléchi à ma condition de femme, à la lutte nécessaire. Il fallait les convaincre, ces femmes, c'était sûr. Leur démontrer qu'elles avaient droit au même pouvoir que les hommes, si elles avaient le courage de le prendre et de le changer. Mais il fallait se battre, s'organiser. Car, leur répéter qu'elles n'avaient qu'à se lancer, prendre des responsabilités, agir, vraiment c'était de l'imposture. Imposture aussi d'affirmer que les femmes avaient les mêmes chances qu'un homme dans le travail, dans la vie politique, dans la création... Bref, je cherchais le moyen de dire aux femmes que pour peser sur l'événement, elles devaient au départ conquérir un droit fondamental : celui du pouvoir sur elles-mêmes.

Ce procès de Moknine m'apparaissait ainsi sous un jour nouveau, dérisoire, contradictoire. Debout, avec cette sonde dans le ventre, j'étais l'image même de l'échec. Officiellement, pourtant, je détenais les armes de la défense. Comment y croire, alors que je ne croyais plus en moi-même, homogène, efficace ? Je prenais, au contraire, douloureusement conscience du fait que j'étais totalement démunie, livrée à la souffrance, réduite à la clandestinité !

Pendant ce temps, le procès continuait. Et le jour des plaidoiries j'étais hospitalisée. Je n'ai donc pas plaidé. Trois condamnations à mort ont été prononcées dont une pour l'un de « mes » accusés. Ceux que je n'avais pu assister jusqu'au bout. Une série d'autres condamnations aux travaux forcés, à la réclusion...

Avec d'autres confrères tunisiens, je suis allée présenter le recours en grâce de mon client à l'Élysée, devant le Président de la République René Coty[1].

C'était la première fois que je soutenais un

1. Plus tard, pendant la guerre d'Algérie, j'acquis une certaine habitude de ces audiences, d'abord avec le président Coty, puis avec le général De Gaulle (cf. *Le lait de l'oranger*, chap. IV : « *Appelez-moi maître* »).

recours en grâce. La première fois aussi, je crois, que le recours en grâce d'un condamné à mort politique était plaidé par une femme devant le premier magistrat de France. C'était plutôt impressionnant.

Je sentais très fort que c'était la dernière chance du condamné. La dernière fois qu'il pouvait s'exprimer par ma bouche. Son ultime bataille pour la vie. J'étais imprégnée de cette idée jusqu'à l'angoisse. C'est pourquoi l'étiquette présidentielle qui exigeait, paraît-il, que je porte un chapeau pour l'audience, m'a semblé venir d'un autre monde. Je ne portais jamais de chapeau. Je n'en avais ni le goût ni les moyens. La femme d'un confrère m'en avait prêté un pour la circonstance. Je me suis donc présentée à l'Élysée, coiffée d'un « tambourin » noir. En attendant d'être reçue, je me regardais longuement dans les immenses miroirs du grand salon de l'Élysée. Ridicule ! Je me sentais ridicule avec ce chapeau ! Et profondément ulcérée. La vie d'un homme était en jeu et l'on m'obligeait à me déguiser pour tenter d'obtenir sa grâce ! L'huissier est venu enfin me chercher et au moment même où la porte du bureau présidentiel s'est ouverte, j'ai remis à l'huissier, un peu interloqué, mon couvre-chef. « Mettez-le au vestiaire ! » Et le Président Coty m'a reçue comme j'étais d'habitude, sans chapeau. Une avocate. J'avais refusé cette mascarade. Rien ne devait me distraire, ni étiquette ni chapeau. Mon dossier, cette vie à arracher, moi... Et un Président de la République, à convaincre...

Le condamné a été gracié.

Pour moi, la leçon de Moknine c'est que l'on ne peut dissocier les oppressions quand on les cumule, que l'on ne peut « découper » les combats ni le souvenir écrasant d'une accumulation d'injustices. J'ai acquis la certitude qu'être une femme et vouloir appréhender la réalité comme un homme — c'est-à-dire sans tenir compte des stéréotypes discriminatoires — expose à bien des difficultés...

Imagine-t-on qu'une femme puisse mettre dans son engagement politique le même « contenu » qu'un homme ? Sûrement pas. En voici un exemple :

Tout récemment, au Congo (Brazzaville), j'ai assuré la défense de quatre jeunes militants gauchistes. Tous quatre purs, courageux, désintéressés. De lourdes charges les avaient fait traduire devant la Cour Révolutionnaire de Justice de Brazzaville. Ils avaient aidé — d'une manière très active — des maquisards en rébellion contre l'actuel gouvernement du Président N'Gouabi[1]. Quatre professeurs de disciplines diverses. Deux hommes, deux femmes. Donc, même dossier, mêmes faits, même engagement idéologique. On pourrait ajouter : même défense, à quelques variantes près. Il n'en fut

1. Le commandant Marien N'Gouabi, qui avait pris le pouvoir en décembre 1968, sera assassiné le 18 mars 1977.

rien. Pour mes deux militantes, Paule F. et Paule D.
j'ai dû plaider, en partie, « féministe ».

À Paule F. — la « tête » de l'organisation clandes-
tine — et à son amie Paule D., l'accusation avait fait
un sort particulier. La révolution congolaise ? Le
peuple congolais ? Lénine ? Mao ? C'était à la
rigueur des références à accrocher à la lutte des
hommes. Mais ces deux jeunes femmes, que croyez-
vous qu'elles étaient venues faire au Congo
indépendant ? Eh bien, selon le journal *Etumba*,
porte-parole officiel du Parti congolais du travail,
parti au pouvoir, les deux Paule, sous couvert de
marxisme-léninisme, s'adonnaient à la pire des
licences sexuelles... elles s'étaient engagées dans le
marxisme-léninisme pour coucher avec tout le
monde... et coucher avec érotisme et prolétariennement *(sic)* si possible... *Etumba* écrivait textuelle-
ment (n° 284, 31 mars/avril 1973) :

« Mieux, les deux Françaises passaient leur nuit,
lors de leur séjour à Kinshasa, D. avec Diawara et F.
avec N'Gatsoua[1]. C'était en tout cas, la révolution
prolétariennement sexuelle ; il fallait bien qu'ils
s'unissent pour mieux mener la lutte sur le terrain...
les réalités du pays, n'est-ce pas ?... on nous exporte
la prostitution... »

J'ai voulu établir à la barre de la Cour Révolutionnaire de Justice que c'était là un procédé odieux. Je
n'acceptais pas, je n'accepterais jamais qu'une

---

1. Les deux chefs de maquis tués quelques jours après le
procès.

action courageuse soit vidée de son sens dès qu'une femme en est l'auteur.

Une fois de plus, on voulait démontrer que des femmes ne peuvent s'engager politiquement que par le truchement d'un homme, d'un lit, d'un cœur... Mais directement ? À part entière ? Cela nous est encore refusé.

J'avais d'abord dit mon indignation au Président N'Gouabi lui-même : une révolution socialiste ne pouvait pas employer de tels procédés. La vulgarité le disputait au mensonge. N'Gouabi en était très affecté. Il condamnait cette campagne de calomnies. Et les « juges camarades » de la Cour Révolutionnaire, parmi lesquels siégeait une femme membre du Bureau politique, n'ont pas apprécié, m'a-t-il semblé, la littérature d'*Etumba,* dont j'ai intégralement donné lecture à l'audience... le tout retransmis en direct à la radio et à la télé.

Le jugement a été, heureusement, égalitaire. Les quatre Français ont été libérés. Hommage a même été rendu à leur courage et à leur militantisme.

CHAPITRE II

CHOISIR

En avril 1971, un certain nombre de femmes ont décidé de lancer une action spectaculaire, que d'aucuns ont appelée scandaleuse, pour dénoncer la répression de l'avortement et revendiquer le droit à la contraception et à l'avortement libre. Ainsi fut rendu public « le Manifeste des 343[1] ». Les signataires étaient pour la plupart, des femmes célèbres, des grands noms de la littérature, du spectacle, du cinéma, du théâtre ; on y trouvait Catherine Deneuve, Marguerite Duras, Simone de Beauvoir, Françoise Sagan, Ariane Mnouchkine, Delphine Seyrig, Françoise Fabian. Des noms, qui, non seulement en France mais aussi à l'étranger, symbolisent un certain visage de la culture française, de la beauté française, du cinéma ou du théâtre français.

Signataire moi-même, j'ai voulu recueillir des

1. Publié dans *Le Nouvel Observateur* du 5 avril 1971, sous le titre *Un appel de 343 femmes*, et commenté de manière humoristique dans *Charlie-Hebdo* du 12 avril 1971 : « Qui a engrossé les 343 salopes du Manifeste sur l'avortement ? »

signatures, mais dans un milieu qui m'était plus familier, c'est-à-dire parmi de simples militantes ou des femmes sans « nom connu ».

Je me souviens notamment qu'à cette époque, nous étions en période d'élections municipales. J'avais participé à un meeting au côté de Michel Rocard. Après ce meeting, un groupe de femmes m'a retenue pour discuter de la libération de l'avortement.

J'ai parlé de notre manifeste et quelques-unes d'entre elles ont voulu en signer le texte... C'était faire preuve d'un grand courage, car elles n'étaient pas des « intouchables ». C'étaient, je m'en souviens, des femmes qui travaillaient comme intérimaires dans l'enseignement, dans des bureaux, dans des administrations. Pour la plupart, leur situation était précaire. Aussitôt après la parution du manifeste, contrairement à ce qui a été dit, certaines d'entre elles ont été inquiétées. Elles n'ont pas été poursuivies devant des tribunaux mais inquiétées ; on les a convoquées et on leur a dit : « Vous avez signé ce manifeste, il n'est pas certain que votre contrat vous soit renouvelé l'an prochain. » Ou encore : « Vous avez signé et, comme nous n'étions pas très contents de vous, votre intérim prend fin... »

Je me souviens d'une de mes clientes, gardée à vue par la police, pour une affaire politique. Elle avait aidé un réseau pro-palestinien. Au cours de son interrogatoire, un policier a jeté sur le bureau le numéro de *l'Observateur* qui reproduisait le Manifeste des 343... Coché en rouge, à la bonne page...

Et le flic de ricaner : « Et ça ? Hein ? Il y a *aussi* ça ! »

Ces femmes m'ont aussitôt téléphoné : « Tu nous as fait signer ce manifeste, mais tu n'as rien prévu en cas de pépin. Les autres sont, pour la plupart, célèbres et elles ne risquent rien. Tandis que nous, nous allons " écoper " pour tout le monde. »

Le ton était sévère. Je me suis sentie un peu responsable. Nous n'avions pas pensé aux suites possibles de ce manifeste. C'est vrai. Je leur ai alors dit : « Si l'une d'entre vous est poursuivie, eh bien, nous ferons bloc et on ne touchera à personne sans nous inculper toutes... Nous allons créer une association qui prendra en charge votre défense et les 343 seront dans chacune des actions qui seront menées contre l'une d'entre vous. »

C'est comme cela, en gros, que l'idée de créer *Choisir* m'est venue. Mais était-ce suffisant, la défense, l'attitude attentiste finalement ? Au fond, que combattions-nous ? Pourquoi ce manifeste ? Nous ne voulions plus de loi de 1920 ; et surtout, nous voulions la connaissance, la contraception. La connaissance, c'est ce qui permet de prévoir et d'éviter. Donc, nous voulions aussi l'éducation sexuelle. Ainsi, les trois fronts de lutte de *Choisir* étaient tracés :

1) Contraception — Éducation sexuelle.
2) Suppression de la loi de 1920.
3) Défense gratuite des inculpés.

J'ai téléphoné à Simone de Beauvoir et à Jean Rostand. Simone de Beauvoir, avec cette brièveté qui passe parfois pour de la sécheresse et qui, en réalité, est la marque d'une certaine rapidité vers l'essentiel, m'a dit : « Bien sûr... c'est très bien... Je suis avec vous. »

Jean Rostand m'a demandé de venir lui rendre visite à Ville-d'Avray. J'ai poussé la grille qui grinçait, gravi l'allée de son jardin sauvage, pénétré dans cette villa hors du temps. Je n'oublierai pas cette qualité de silence du savant qui veut comprendre, qui vous fait sentir qu'il « apprend » encore... Ni la jeunesse du sourire.

« J'ai consacré toute ma vie à mieux comprendre la vie... Vous voulez aller vite et je suis un vieil homme... Mais je ne peux pas ne pas être avec vous. »

Christiane Rochefort, du fin fond de son printemps breton, acceptait aussi de prendre ses responsabilités.

« Tu seras trésorière ! » Éclat de rire dans le téléphone : « Mais je n'ai jamais su compter ! »

C'est ainsi que *Choisir* a démarré[1].

Nous avons tenu quelques petites réunions le dimanche après-midi avec Delphine Seyrig, Françoise Fabian. Des filles du M.L.F. aussi, qui au début, étaient favorables à ce genre de démarche et qui se sont séparées de nous un peu plus tard à l'occasion du procès de Bobigny.

Nous nous réunissions chez moi ou chez Simone de Beauvoir. Nous ne savions pas encore très bien

1. *Choisir* a donc fêté en 1991 ses vingt ans d'existence.

comment lancer cette grande bataille dont nous res-
sentions toutes si fort, en nous, la nécessité et
l'urgence... Les filles du M.L.F., qui avaient eu l'idée
du manifeste, découvraient dans *Choisir*, un trem-
plin favorable pour d'autres actions... Ainsi, avons-
nous préparé ensemble les Journées de Dénoncia-
tion des crimes contre la femme, à la Mutualité.
Mais, il faut bien le dire, nous vivions un peu sur des
malentendus. Le M.L.F.[1] n'est ni une association, ni
un mouvement homogène. C'est l'auberge espa-
gnole. Chaque femme y trouve ce qu'elle y apporte.
Entre les « freudiennes » et les « marxistes », tout un
éventail de nuances — et de groupuscules —
s'ouvre, se referme, change d'axes, selon la personnalité de telle ou telle fille et, aussi, selon le contexte
politique. Parfois, une idée « géniale », « extra »,
fuse de l'une ou de l'autre de ces tendances : ces ful-
gurances M.L.F., nul n'a jamais songé à les nier...
Elles contribuent, à coup sûr, à mettre le doigt dans
une plaie, à secouer le train-train d'une bataille dite
traditionnelle.

Je me souviens notamment, d'une manifestation
de rue qui passa, par hasard, devant une église. Un
cortège nuptial prenait avantageusement la pose, en

---

1. Il ne faut pas confondre le M.L.F. dont il est question ici,
vaste mouvement de libération des femmes né des événements
de mai 1968, et qui s'est diversifié ensuite, avec le groupe de
femmes « Psychanalyse et Politique » qui s'est approprié depuis
1980 le sigle M.L.F. en créant une association loi 1901, et qui se
trouve souvent en contradiction avec le véritable mouvement
féministe.

haut des marches, pour une postérité toute familiale ! Les filles du M.L.F., qui dirigeaient la manifestation, se ruèrent à l'assaut de la noce... Ce fut un beau numéro de démythification, qui aurait réjoui André Breton s'il n'avait été si phallocrate, lui, le chantre de la femme *aux épaules de champagne !...*

Au cours des réunions dominicales de *Choisir*, des clivages se sont rapidement fait jour... Je ne veux pas sottement schématiser... Mais il est vrai que beaucoup d'heures ont été consacrées au plaisir « vaginal » opposé — politiquement ! — au plaisir « clitoridien », tandis que les « révolutionnaires » remettaient, à tout instant, en cause le principe même d'un siège social, d'une « direction nationale », d'une « hiérarchie discriminatoire » et, confortablement installées dans les fauteuils de mon salon d'attente, exigeaient à chaque phrase, que « la parole soit rendue aux masses »...

Entre deux discussions théoriques de ce type, nous faisions passer dans la presse quelques communiqués sur les buts de *Choisir*. Ces textes retenaient l'attention de nombreuses femmes, à Paris et en province. Des dizaines de lettres parvenaient, chaque semaine, à *Choisir*. Les femmes qui écrivaient, racontaient leur histoire. Faisaient état d'une expérience concrète. Demandaient — clairement ou non — des directives pour l'action...

Ce courrier consolait des discussions un peu sté-
riles des dimanches après-midi... Mais qui lisait ces
lettres ? Qui avait accordé une quelconque importance à des femmes que j'avais reçues, l'une après
l'autre, qui m'avaient parlé de l'affaire d'une jeune
avortée de dix-sept ans, et qui s'appelaient Michèle
Chevalier, Lucette Duboucheix, Renée Sausset[1] ?
Autant le reconnaître : nous tournions en rond.

Je me suis rejetée un peu vers ma technique et j'ai
proposé la rédaction d'une proposition de loi relative à la liberté de la contraception et de l'avortement. La proposition de loi de *Choisir* (devenue
depuis celle du P.S.). L'important devait être *dans
l'exposé des motifs*. Je voulais, par ce moyen,
dénoncer l'hypocrisie de la loi actuelle, exécuter les
tabous religieux et sociaux, les « idées » reçues et
officielles telles que l'argument démographique, le
respect de la vie... jeter sur le drame de l'avortement
clandestin et sur la répression d'une justice de
classe une lumière aveuglante, insoutenable. Et surtout — oui, surtout — par-dessus tout, lancer un
cri : la liberté de la femme ! Je ferai un enfant si je le
désire... C'est cela la vie à donner et c'est ce désir qui
donne la vie. J'ai le droit de disposer de moi-même.

À quelques-uns, médecins, juristes, nous nous
sommes retrouvés au mois d'août à Villars-de-Lans,
dans une ferme louée pour la circonstance. Parmi
nous se trouvaient Annie Ferrey-Martin et Olivier
Bernard. Chacun apporta sa contribution, ses chif-

---

1. Cf. *infra* chapitre III : *Le procès de Bobigny.*

fres, son point de vue. Michel Rocard, alors député
des Yvelines, se joignit à nous quelques jours. Avec
lui Louis Vallon, David Rousset (ex.-U.D.R. non inscrit) et Aimé Césaire (divers gauche non inscrit),
signèrent notre proposition de loi. C'est seulement
à l'automne, en octobre, après avoir revu Marie-
Claire et étudié le dossier que j'ai proposé à *Choisir*[1]
de se lancer dans cette bataille.

Choisir n'est pas un parti politique. On pourrait
même à la limite le dire apolitique. C'est un mouvement de masse c'est-à-dire que toutes et tous peuvent en faire partie quels que soient leurs convictions politiques, religieuses, leur niveau social, etc.
Une seule condition : être en accord total avec les
objectifs de l'association. Qui ne sont ni de faire la
révolution ni de changer les rapports de production, ni de remettre en cause la médecine libérale
(problème du G.I.S.[2]). Notre axe de lutte est clair :
la libération de la femme. Comment ? par
— condition essentielle mais non suffisante — la
disparition d'une pièce fondamentale de l'oppression qui pèse sur elle : la législation sur la contraception et l'avortement.

1. La présidence de *Choisir* est collective. Les premiers Présidents en furent : Michèle Chevalier, employée de métro, Gisèle
Halimi, avocat à la Cour, Jacques Monod, Prix Nobel de médecine.
2. Groupe Information Santé.

Le combat est précis, limité. Que les conséquences de ce combat, à cause de ce qu'il remet en
question à moyen ou à long terme, soient infini-
ment plus vastes, j'en suis persuadée. Mais *Choisir*,
pour garder son indépendance, sa cohésion et sa
force de mouvement de masse, doit s'en tenir à ses
objectifs[1].

C'est pour cela que *Choisir*, mouvement de masse,
est aussi une association légale, avec un bureau, des
assemblées générales, des procès-verbaux, un
journal. Bref, un certain ordre, un rien formaliste...
Et cela contre vents et marées... c'est-à-dire malgré
les tentatives de certains groupuscules et militants,
partisans du spontanéisme tactique, structurel...
pour ne pas dire idéologique ! c'est le drame des
séquelles négatives de Mai 68... L'organisation de
Choisir est, selon moi, importante et conditionne
son implantation nationale ainsi que le succès de
son action.

Choisir réformiste ? On nous en fait quelquefois
le reproche. La désapprobation vient de spontanéistes, d'anarchistes, de gauchistes, qui entendent
faire progresser l'audience de leur groupuscule
politique... Au fond d'eux-mêmes, ils se fichent de la
femme et de son oppression. La femme est devenue

1. Par la suite les objectifs de *Choisir* se sont étendus à d'autres
domaines : cf. p. 296, en annexe, l'historique du mouvement,
Qu'est-ce que CHOISIR ?

un gadget révolutionnaire qui fait recette. Alors ils l'utilisent !

Réformisme... que de permettre à chaque femme de choisir de donner ou non la vie ? De l'engager dans la connaissance ? De lui permettre ainsi, partiellement mais physiquement et fondamentalement libérée, de se lancer à l'assaut d'autres conquêtes, comme les hommes ?

Réformiste, cette remise en cause de toute une société, de ses tabous, de ses traditions, de ses ségrégations ? Réformisme... que de libérer la femme, de changer les rapports homme-femme, de déculpabiliser la sexualité, de se battre pour la qualité de la vie ?

Réformisme ou révolution ? Qui pourrait le dire ? Ne serait-il pas plus juste d'admettre que, réformiste dans ses moyens, la bataille de *Choisir* est révolutionnaire dans sa stratégie en tant qu'elle implique des changements radicaux de mentalité ?

L'originalité et le succès de *Choisir* sont dus, en grande partie, au fait que ses objectifs n'ont pas directement été pris en charge par les organisations politiques traditionnelles. La contraception et l'avortement ont été soit ignorés soit noyés en termes vagues dans les programmes fleuves des partis. Les partis regardent d'un œil soupçonneux toutes ces actions ponctuelles, marginales. Peut-être au nom d'un certain « globalisme politique » ? C'est vrai du racisme, de la cause des travailleurs immi-

grés, des prisons, de la santé, des femmes. Cette
carence singulière a fini par engendrer des groupes
comme le G.I.P., le G.I.S., l'A.S.T.I.[1] et *Choisir* dont
les combats sont en prise directe sur une injustice
insupportable : la revendication d'un mieux-être
immédiat. Le mérite de ces mouvements c'est qu'ils
réveillent les consciences repues, assoupies, qu'ils
sont comme un cri, dans le silence...

1. Groupe Information Prisons. Groupe Information Santé.
Association de Soutien aux Travailleurs Immigrés.

CHAPITRE III

LE PROCÈS DE BOBIGNY

La préparation du procès[1]

Il a fallu à peu près trois semaines pour préparer Bobigny. Quand j'y pense, c'était une gageure. Dès que j'ai eu la certitude que Michèle Chevalier, Lucette Duboucheix et Renée Sausset voulaient se battre, *Choisir* a foncé... J'avais fait un plan de bataille... Sur des thèmes bien précis — l'information sexuelle, la contraception, l'avortement clandestin, la législation comparée, les mères célibataires, les aspects scientifiques, juridiques, politiques, sociaux de la liberté de l'avortement, etc. — je voulais faire entendre les spécialistes les plus éminents et en même temps des hommes et des femmes

---

1. Il n'est pas inutile, me semble-t-il, de rappeler aux jeunes femmes qui n'ont pas connu nos luttes, et au moment où se fait jour une dangereuse remise en question de l'avortement, ce qu'a été l'histoire du procès de Bobigny, qui a fait voler en éclat la loi répressive de 1920.

qui porteraient simplement témoignage de leur expérience quotidienne concrète.

Ce procès devait être surtout l'affirmation de la liberté de la femme, l'affirmation de son droit à disposer d'elle-même et l'affirmation de son droit à la contraception et à l'avortement.

Mais tout ne s'est pas passé dans un climat parfaitement idyllique... Tout le monde n'était pas d'accord sur le plan que je proposais. Je me souviens notamment d'une assemblée générale de *Choisir* assez houleuse, au cours de laquelle fut discutée la tactique à adopter à Bobigny.

Le fait de préparer un procès en assemblée générale n'est pas une pratique courante. Mais j'ai dit que je considérais Bobigny comme un procès « politique » au sens large du mot. La préparation d'un procès de ce type n'a rien à voir avec l'étude d'un dossier de divorce ou d'accident de la circulation ! Dans une affaire politique, ce sont les accusés qui définissent les grandes lignes de leur défense, ce sont eux qui décident comment ils se feront accusateurs. L'avocat, en cette matière, est le stratège, le conseiller. Mais j'ai toujours professé que l'avocat politique devait être totalement engagé aux côtés des militants qu'il défend. Partisan sans restriction avec, comme armes, la connaissance du droit « ennemi », le pouvoir de déjouer les pièges de l'accusation, etc. Une cause politique non partagée par le défenseur est en péril, sinon perdue pour le procès.

Le procès de Bobigny est le premier, le seul procès « politique » de l'avortement. Comme tout procès politique, il n'avait pas comme seule exigence l'acquittement ou l'indulgence du Tribunal pour les inculpées. Ou plutôt cette exigence était liée à d'autres, essentielles. Les règles d'or des procès de principe : s'adresser, par-dessus la tête des magistrats, à l'opinion publique tout entière, au pays. Pour cela, organiser une démonstration de synthèse, dépasser les faits eux-mêmes, faire le procès d'une loi, d'un système, d'une politique. Transformer les débats en tribune publique. Ce que nos adversaires nous reprochent, et on les comprend, car il n'y a rien de tel pour étouffer une cause qu'un bon huis clos expéditif.

Bobigny, c'était précisément la seule fois où des femmes, des accusées, ne sont pas venues dire : « Pardon » ou « Soyez indulgents » ou encore « Nous ne reconnaissons pas les faits. » Mais des femmes qui avaient décidé avec leurs témoins, les journalistes, leurs avocats, de faire le procès de la loi de l'avortement. Débat nécessaire : sur les plans juridique, scientifique, philosophique. Débat qui revendiquerait pour la femme, sa liberté de disposer d'elle-même. Procès pour un nouveau féminisme en somme.

Il était donc naturel que Michèle Chevalier, Lucette Duboucheix et Renée Sausset prennent la direction de leur propre défense... Et, puisqu'elles étaient membres de *Choisir*, il était admissible que cette défense fût mise au point entre militants de l'association.

Là où j'avais peut-être péché par optimisme, c'est

en proposant que cette mise au point soit arrêtée en
assemblée générale. Un débat public est toujours à
la limite de la démagogie. En intervenant publiquement, dans une salle comble, on est plus sensible à
l'atmosphère qu'à la rigueur de la démonstration ; il
se crée une certaine dialectique entre l'orateur et
ceux qui écoutent ; on grossit les arguments, on
schématise, on se passionne... À partir de là, on
s'égare...

Un jour, j'avais décidé de téléphoner au professeur Jacques Monod[1]. Je ne le connaissais pas, mais
j'étais certaine qu'il serait à nos côtés. Il avait suivi
l'affaire de Marie-Claire. Il a voulu que je vienne lui
en parler plus longuement. À l'issue de ce premier
entretien, Jacques Monod a manifesté le désir de
rencontrer Michèle Chevalier. Entre l'employée du
métro et le Prix Nobel, le dialogue a été, dès les premiers mots, facile. Michèle Chevalier, en sortant,
rayonnait de confiance. « Tu te rends compte : des
gens comme lui, avec nous... »
    Le lendemain, Jacques Monod me faisait parvenir
un chèque, à l'ordre de Michèle, « pour participer
aux frais de l'avortement de Marie-Claire... » Trois
mille francs... Michèle répétait : « Trois cent mille
francs[2]. Tu te rends compte ! »

    1. Le professeur Monod est décédé le 31 mai 1976. Il était,
jusqu'à cette date, coprésident de *Choisir*.
    2. Pour Michèle, la somme répétée en « anciens » francs *(Trois
cent mille francs)* est plus parlante.

C'est Jacques Monod qui m'a conseillé de joindre les professeurs Paul Milliez et Palmer. J'ai pris rendez-vous avec eux. D'entrée, Paul Milliez m'a dit : « Je suis contre l'avortement... » Je refermais déjà mon dossier, m'apprêtais à repartir.

— Dans ces conditions, je ne peux pas vous demander de venir témoigner...

L'éminent médecin s'était levé. Son visage tourmenté trahissait la lutte intérieure.

— Je pourrais écrire une lettre au Tribunal...

Il parlait lentement, comme pour lui seul. Cette affaire était tellement injuste, tellement insupportable... Lui-même, lorsqu'il était encore interne, n'avait-il pas avorté de pauvres femmes qui arrivaient dans le service... dans quel état... et depuis, il en avait tant vues... Il a redressé soudain sa haute stature :

— Non... Écrire, ce serait me dérober... Ce serait une lâcheté... J'irai à Bobigny.

J'ai voulu qu'il n'y ait pas de malentendus :

— Je vous demanderai publiquement : « Si Marie-Claire était venue vous consulter, qu'auriez-vous fait ? »

Il m'a regardée bien en face :

— Je l'aurais avortée...

J'ai insisté :

— Je vous demanderai : « Si votre fille, à dix-sept ans, était venue vous dire qu'elle était enceinte... »

Il ne baissa pas les yeux :

— J'aurais essayé de la convaincre de mener sa grossesse à terme... Si elle avait refusé, je l'aurais fait avorter...

Nous nous sommes serré la main. Cet homme de science, ce catholique fervent venait de faire un choix capital : je ressentais la profondeur de son engagement, et sa déchirure... Les femmes devront beaucoup à cet homme de caractère qui, quelques mois plus tard, voyait se fermer devant lui les portes de l'Académie de médecine, parce qu'un matin d'octobre 1972, il avait choisi le courage...

À l'époque, *Choisir* comprenait un fort courant M.L.F., surtout à Paris il est vrai. Mais comme les assemblées se tenaient à Paris, il y avait fatalement un déséquilibre entre la province — représentée par quelques délégués — et Paris, dont les membres les plus actifs — les plus disponibles ? — étaient M.L.F.

Tout de suite, le clivage s'est fait, entre les filles du M.L.F. et les militantes qui, en réalité, représentaient la très grande majorité de *Choisir*. Lorsque j'ai présenté mon projet, mon synopsis pour le déroulement des débats, les filles du M.L.F. ont violemment protesté. De leur point de vue, il ne fallait pas de « grands témoins », pas d'hommes, pas de Prix Nobel ! Bobigny devait être exclusivement une affaire de femmes. Et de femmes « non vedettes ».

À la rigueur, les filles du M.L.F. acceptaient qu'une Simone de Beauvoir, qu'une Delphine Seyrig et qu'une Françoise Fabian viennent à la barre des témoins, car elles étaient des militantes actives de notre cause, mais elles voulaient y adjoindre des « anonymes ». Ainsi, au cours de cette assemblée générale, y eut-il une grande bataille pour les « anonymes ». Et les « anonymes » auraient été des femmes qui avaient avorté sans drame, par « convenance personnelle » et qui seraient venues à la barre dire :

— Je n'ai pas de drame à vous raconter, mon ventre m'appartient.

À la limite, d'ailleurs, les filles du M.L.F. auraient même préféré que Michèle Chevalier et ses deux collègues viennent devant le Tribunal et disent :

— Vous êtes la justice bourgeoise et la justice phallocrate ! Nous ne vous connaissons pas... Condamnez-nous si vous le voulez... On s'en fout !

Inutile de préciser que Michèle Chevalier, Lucette Duboucheix et Renée Sausset étaient opposées à une telle tactique. La lutte que nous entreprenions et que nous voulions populaire, comprise par la majorité des femmes, s'accommodait mal d'une telle conduite.

Seulement, intervenir en public, contrer publiquement ces belles parleuses, c'était difficile pour des employées du métro. Intimidant...

Il a fallu que l'« anonyme » de service en *fasse* un peu trop pour que Michèle Chevalier finisse par éclater.

La fille s'était levée. Elle voulait démontrer que, sur le plan de l'avortement, la lutte des classes n'avait plus rien à voir, que c'était un vieux schéma de bureaucrates, révisionnistes, moscoutaires et que, princesse Soraya ou femme de ménage, toutes les femmes avaient les mêmes raisons de lutter contre la loi de 1920.

La fille paradait :

— Je suis une fille de bourgeois, j'ai plein de fric *(sic)*, j'ai avorté sans problème de solitude, j'étais avec mon mec *(resic)*, on est partis ensemble ; *c'était une véritable lune de miel*, eh bien pourtant, à mon retour, je me suis sentie traumatisée.

Réaction immédiate de Michèle Chevalier qui bondit d'indignation :

— Je ne veux pas de vous à mon procès, vous n'avez rien à voir dans mon histoire ; la preuve c'est que vous, vous êtes libre et que vous n'avez jamais été poursuivie, et que c'est moi qui vais comparaître devant le Tribunal !

Pour ma part, j'étais restée très perplexe devant cette déposition que l'on voulait nous imposer. Elle ne collait absolument pas avec le fond du procès lui-même, c'est-à-dire avec le drame social de Michèle Chevalier et de Marie-Claire. Or, c'était cet aspect qui avait cristallisé l'unité de l'opinion publique.

Ce n'était sans doute qu'un premier pas, mais un pas capital. Le pas qui, seul, pouvait permettre d'avancer, d'aller plus loin... Faire acquitter Marie-Claire, puis sa mère, représenterait dans notre bataille une victoire sans précédent.

En outre, la déposition de cette fille à papa, trop sûre d'elle, n'eût pas été comprise et aurait causé, chez la plupart des femmes, un effet déplorable. Enfin, ce témoignage allait à l'encontre de ce que nous voulions démontrer. À savoir qu'un avortement réalisé dans de bonnes conditions (sans problèmes d'argent ni de solitude), dans un complexe hospitalier, ne laisse pratiquement pas de traces. Bien sûr, la culpabilisation de la femme, du fait qu'elle avorte contre la loi, demeure, mais souligner ce léger traumatisme n'était pas le but de notre procès. Il y avait tellement mieux et tellement plus à dire !

De même, je ne pouvais accepter cette hostilité systématique que ces filles privilégiées manifestaient à l'encontre des savants et des hommes de culture. Je savais — je l'avais appris en Tunisie, en Algérie, en France avec mes clients les plus pauvres — que si la culture peut être — *est* trop souvent — un outil d'oppression, elle est aussi une arme d'émancipation. Rejeter, en bloc, science et culture, est un luxe. Luxe qu'affichent, la plupart du temps, ceux qui en bénéficient et qui, faute de savoir s'en servir contre la sottise, la discrimination, l'injustice, s'ingénient à les discréditer. Monod, Jacob, Rostand, bourgeois et phallocrates ? Et Marx ? Et Lénine ? Était-ce si simple ? Cette condamnation globale était-elle sérieuse ? *Révolutionnaire* ?

Au cours de cette assemblée générale dont je parle, Mme Duboucheix s'était levée à son tour :

— Je ne comprends pas votre attitude. Vous êtes des intellectuelles, vous avez un langage que je n'arrive pas à comprendre. Vous dites « on n'a pas à expliquer », mais moi, qui suis une femme du peuple, qui me sens quand même un peu coupable, j'ai besoin de voir à la barre les professeurs Monod,

Jacob, Rostand me dire, à moi qui ne sais rien, que je ne suis pas coupable. J'ai besoin, en plus, de les sentir à mes côtés et me défendre, dire « nous exigeons l'acquittement de cette femme »...

Les filles du M.L.F. l'avaient huée. Le fait était là. Ces spécialistes des « comités de base », des « comités de quartier », du « retour aux masses », se trouvaient objectivement opposées à des ouvrières *vraies*. À celles qui risquaient une condamnation. Les seules, dans cette assemblée de conseilleurs révolutionnaires.

Cette étrange situation, nous l'avons revécue quelques mois plus tard, quand toutes les tendances du gauchisme, de l'anarchisme et du spontanéisme ont prétendu imposer leurs apriorismes doctrinaires dans une organisation que, par hypothèse, nous voulions apolitique.

Plus tard, Michèle Chevalier devait ainsi tirer la leçon de ces controverses en donnant son véritable éclairage à notre choix :

— Ce qui a impressionné le plus, c'est que nous étions inculpées et que, cependant, nous étions appuyées par des hommes comme Milliez ou Rostand. Le professeur Jean Rostand, dans le métro, c'est le biologiste, le savant, celui qui sait des choses très difficiles. De tous, c'est le plus populaire, et voilà qu'il se rangeait à nos côtés. Donc, nous n'avions pas mal agi ; nous n'étions pas des criminelles...

L'affaire

Bobigny, ça a commencé par un coup de téléphone, celui de Mme Bambuk, la secrétaire qui avait pratiqué l'avortement sur Marie-Claire. Elle a pris rendez-vous. Je lui ai parlé. Ensuite, j'ai reçu Mme Duboucheix, Mme Sausset et Mme Chevalier, toutes trois employées au métro. Et enfin, j'ai vu Marie-Claire.

J'ai pu m'entretenir avec elle, très librement. Elle s'est sentie en confiance presque tout de suite... Elle a raconté.

Élève d'un collège d'enseignement technique, elle a des amis, garçons et filles ; l'un d'entre eux, Daniel, âgé de dix-huit ans, lui propose un jour de faire une balade en voiture ; ce qu'elle accepte très volontiers. Il fait partie de sa bande habituelle ; elle n'a donc aucune raison de se méfier. En réalité, Daniel veut l'entraîner chez lui, où il n'y a personne, puisque sa mère est en vacances. Il lui propose de monter écouter des disques, en attendant d'autres camarades. Ils montent. Mais bientôt, les événements se précipitent. Il la poursuit, la saisit, la brutalise. Elle a raconté la scène. Comment Daniel l'a d'abord menacée, puis giflée, et comment, tout de suite *après*, elle s'est enfuie, ses chaussures à la main, dans la rue, comme une folle... À la suite de cet unique rapport, Marie-Claire est enceinte. Et c'est le drame. Pour elle, il ne peut être question d'assumer cette naissance qu'elle ne désire absolument pas, ni de « faire sa vie » avec Daniel, qu'elle n'aime pas et qui, dans la bande, n'a pas très bonne réputation.

Marie-Claire, spontanément, parle à sa mère avec laquelle elle entretient des rapports de très grande confiance. Michèle Chevalier n'hésite pas :

— Si tu veux garder l'enfant, nous nous débrouillerons. Nous l'élèverons.

Mais pour Marie-Claire, la décision est prise :

— Je ne veux pas d'enfant. À aucun prix.

Alors, elles décident l'avortement. Mais comment ? Michèle Chevalier est employée de métro ; elle a vécu quatre ou cinq ans avec un ouvrier, le temps qu'il lui fasse trois enfants, qu'il oublie de les reconnaître et qu'il s'en aille.

Mère célibataire, comme on dit, Michèle élève donc seule, ses trois filles, alors âgées de seize, quinze et quatorze ans. Elle a un salaire de 1 500 F par mois[1]. Ni relations, ni économies.

Comment trouver la bonne adresse ?

Elle prend rendez-vous chez un gynécologue. Il lui confirme le diagnostic qu'elle appréhendait : Marie-Claire est bien enceinte. Elle demande au médecin d'avorter Marie-Claire. Le médecin n'oppose aucun refus de principe. Il précise simplement — et c'est une précision capitale — que cela coûtera 4 500 F. Michèle Chevalier dira, au cours de son procès :

— 4 500 F, monsieur le président, c'était trois mois de salaire. Comment vouliez-vous que j'y arrive ?

Elle n'y est pas arrivée. Et la course aux adresses a

1. Environ 8 000 F de 1992.

commencé. Mais à qui parler ? Qui est plus proche qu'une collègue de travail ? Elle n'a pas le choix et, tout naturellement, elle se confie à Mme Duboucheix, qui *fait* comme elle, la ligne « Porte de Montreuil-Pont de Sèvres ».

Mme Duboucheix, catholique, pratiquante, mariée, mère d'un enfant, prend immédiatement position :

— Si *nous* ne pouvons pas garder l'enfant...

Car tout de suite, elle est solidaire, instinctivement, comme femme et comme travailleuse, et Mme Sausset, au premier mot, manifestera la même solidarité. Et plus tard, au moment du procès, ce sont toutes les femmes de la « ligne » qui prendront en main les listes de pétitions et les collectes.

Mme Duboucheix dit :

— Si nous ne pouvons pas garder l'enfant, il faut trouver un moyen de faire avorter Marie-Claire.

Et elle contacte une autre collègue, Mme Sausset. Mme Sausset, abandonnée par ses parents, a passé par l'Assistance publique où elle a connu Mme Bambuk. Celle-ci est devenue secrétaire. Elle est mariée, remariée ; elle a trois enfants et elle connaît assez bien la pratique de l'avortement par la sonde, pour s'être elle-même avortée.

On téléphone à Mme Bambuk, avec les précautions d'usage. Mme Bambuk connaît, à l'époque, de gros ennuis d'argent. Moralement, elle vacille. Son mari s'est suicidé il y a peu de temps, lui laissant à charge trois enfants qu'elle élève tant bien que mal avec son unique salaire de secrétaire. La détresse de

Marie-Claire l'émeut. Elle accepte de pratiquer l'intervention. Mais pour 1 200 F. Mme Bambuk se rend au domicile de Marie-Claire et pose une sonde. Cette première tentative échoue. Il en va de même pour la seconde. À la troisième, c'est le drame : l'hémorragie. Il est deux heures du matin. Il pleut avec violence. Michèle Chevalier, qui habite dans un groupe d'H.L.M. éloigné du centre, qui n'a pas le téléphone, qui n'ose pas réveiller les voisins, s'habille en hâte, court sous la pluie battante, essaie de faire ouvrir la cabine publique du téléphone pour appeler au secours.

Elle y parvient. Elle obtient même l'adresse d'une clinique ; un taxi emmène Marie-Claire, chancelante. À la clinique, avant même d'admettre Marie-Claire, on exige un chèque de 1 200 F en dépôt. Michèle Chevalier n'a pas cette somme devant elle. Le piège se referme. Recroquevillée sur une chaise, Marie-Claire gémit. Alors tant pis... Michèle dépose 200 F en espèces et signe un chèque de 1 000 F. Sans provision...

On hospitalise donc enfin Marie-Claire. Le curetage est rapidement fait, dans les meilleures conditions. Trois jours plus tard, Marie-Claire quitte la clinique.

Reste pour Michèle Chevalier à réunir les sommes nécessaires pour payer Mme Bambuk et approvisionner son compte. Marie-Claire est sauvée, c'est le principal...

Mais le fond de l'absurde n'est pas encore atteint.

Quelques semaines après la sortie de clinique de Marie-Claire, Daniel P. est arrêté. Des voitures ont été volées dans le quartier et la police soupçonne la bande qu'il fréquente. On essaie de le faire parler.

Daniel P. est un enfant mal élevé, mal aimé, livré à lui-même, qui a déjà volé des voitures et qui n'en mène pas large. Tout naturellement, pour avoir la paix, il sait qu'il faut lâcher quelque chose aux policiers. Il réfléchit. Cette fille, cette histoire de clinique qu'elle lui a elle-même racontée, quand il l'a revue, par la suite. Il a trouvé ! Il parle :

— Je sais quelque chose qui peut vous intéresser : il y a une fille avec qui j'ai couché, qui était enceinte et qui s'est fait avorter.

Par fanfaronnade, par bêtise ou par peur, il vient de dénoncer Marie-Claire...

Michèle Chevalier raconte admirablement la suite.

Elle est malade, au lit, souffrant d'une forte grippe. Des flics entrent dans sa chambre, retirent leurs vestes, s'assoient sur le lit :

— Pas la peine de raconter d'histoires, ni de nier. Nous savons tout, et vous avez intérêt à tout dire, car si vous n'avouez pas, nous arrêtons Marie-Claire, nous vous arrêtons et nous vous garderons toutes les deux en prison.

Terrorisée, Michèle Chevalier avoue. Elle dit « oui » et explique comment s'est déroulé l'avortement.

Inculpations. Inculpation d'abord de Marie-Claire qui s'est fait avorter. Inculpation de sa mère.

Inculpation de Mme Duboucheix, de Mme Sausset pour complicité d'avortement. Inculpation de Mme Bambuk qui a pratiqué l'avortement.

La boucle est bouclée. Compte tenu du fait que Marie-Claire est une mineure, l'affaire sera scindée en deux : d'une part, Marie-Claire sera envoyée toute seule devant le Tribunal pour enfants, à huis clos. D'autre part, les quatre femmes comparaîtront devant le Tribunal correctionnel de Bobigny.

Le procès de Marie-Claire a eu lieu le 11 octobre devant le Tribunal pour enfants de Bobigny, composé d'un président et de deux assesseurs, qui sont des spécialistes des problèmes de l'enfance. L'opinion publique était déjà en éveil et je me souviens fort bien avoir plaidé, alors que l'on entendait à l'extérieur, une foule qui scandait « Libérez Marie-Claire ! » ou bien « Nous avons toutes avorté ! » Il y avait là des femmes, beaucoup de femmes, des jeunes et des moins jeunes, et aussi des hommes, des étudiants et tous criaient : « L'Angleterre pour les riches, la prison pour les pauvres ! »

C'était très nouveau comme manifestation.

C'était notre première bataille. À quelques jours du procès de Marie-Claire, nous avions eu une réunion, à *Choisir*. Nous étions encore très peu nombreuses, mais nous sentions que c'était important, que nous étions au début de quelque chose de très important. Nous avons d'abord décidé d'imprimer des tracts[1] et de distribuer ces tracts et aussi d'organiser un certain nombre de manifestations dans les rues.

Ainsi, quelques jours avant le procès, il y a eu une manifestation place de l'Opéra, à l'initiative du M.L.F. et de *Choisir*. M. Marcellin avait donné des ordres précis : la police a cogné particulièrement dur. Une voiture pie a même tenté de renverser des femmes, qui refusaient de circuler. Malgré tout, nos tracts ont été distribués. La presse, qui avait été témoin des brutalités, a fait un large écho à la manifestation et ainsi, on a commencé à parler de Marie-Claire.

Dans les jours qui ont précédé le procès, des militantes ont sillonné les marchés, se sont postées à la sortie des grands magasins, des lycées, des bouches de métro, dans les rues et ont distribué encore des tracts. Ce qui fait que, au moment du procès, j'ai eu la certitude qu'un tournant capital était pris et que nous avions réussi à provoquer ce déclic dans l'opinion publique : Marie-Claire ne serait pas jugée comme les autres femmes qui avaient avorté ou qui étaient poursuivies pour complicité. L'affaire de Marie-Claire prenait tout à coup une dimension nouvelle : nationale et publique.

Même lorsqu'un procès se déroule à huis clos, le jugement doit être prononcé en audience publique.

---

1. En annexe, p. 239.

En parlementant avec les responsables du Tribunal, du Parquet et de la police, j'ai pu obtenir, non sans difficultés, que quelques manifestantes, dont Delphine Seyrig, puissent entrer dans la salle d'audience. Nous avons attendu le verdict, assez angoissées. Pour ma part, je ressentais presque une tension semblable à celle qui m'empoignait lors des grands procès politiques où des peines extrêmement sévères et même la peine de mort étaient demandées contre les militants que je défendais. Quelque chose de fondamental se jouait dans cette petite salle de banlieue. Quelque chose qui déborderait bientôt, s'étendrait à tout le pays.

Le président et les deux assesseurs sont revenus, calmes, m'a-t-il semblé, et d'une voix neutre, le jugement a été lu par le président.

Marie-Claire était relaxée, parce qu'on considérait qu'elle n'avait pas délibérément ni volontairement choisi d'accomplir l'acte qui lui était reproché. Parce qu'elle avait souffert, disait le jugement, de « contraintes d'ordre moral, social, familial, auxquelles elle n'avait pu résister ».

C'était à la fois courageux, tout à fait nouveau sur le plan de la jurisprudence et suffisamment ambigu pour que tous les commentaires puissent aller leur train.

Est-ce que ces contraintes morales et sociales, dont parlait le jugement, n'étaient pas finalement celles que, globalement, on peut imputer à la société ?

Est-ce que cela ne voulait pas dire, en filigrane,

que si Marie-Claire n'avait pas, librement et délibérément choisi d'avorter, c'est que l'absence de
contraception, d'éducation sexuelle et l'impossibilité matérielle d'assumer une naissance, ne lui
avaient pas laissé d'autre choix que l'avortement ?

Pour moi, cette interprétation ne faisait aucun
doute. Parce que j'en avais longuement parlé avec
Marie-Claire et parce qu'elle-même, à l'audience,
avait été très précise. Elle avait d'abord, très crâne-
ment, tenu tête au procureur qui tentait de la désar-
çonner, surtout quand elle racontait sa soirée chez
Daniel et les violences qui l'avaient amenée à céder.

— Mais enfin, disait le procureur, si tout cela
avait été vrai, vous auriez dû le dire à la Police
aussitôt ! Votre histoire est invraisemblable !

C'était absurde, grotesque. Lorsqu'une fille est
violée, son premier souci, une fois tirée d'affaire,
n'est pas d'arrêter un policier et de lui raconter son
histoire. Le choc est grand, le traumatisme est réel.
Elle a d'abord besoin d'intérioriser ce qu'elle vient
de vivre. Et généralement, ce genre d'agressions ne
donne que très rarement lieu à des plaintes[1].

Le procureur manquait donc d'une élémentaire
psychologie. Ou peut-être essayait-il de faire pression. Marie-Claire avait tout de même réussi à faire
front et à s'expliquer. On voulait lui faire dire que
sa mère l'avait obligée à avorter. Elle rejetait cette
thèse (tellement commode : les contraintes « fami-

---

1. Aujourd'hui, les victimes dénoncent davantage les violences
qu'elles subissent. En 1989, 4 342 viols ont été enregistrés
(source : Ministère de l'Intérieur), mais il y en aurait 8 fois plus.

liales ! »...), rappelait qu'au contraire sa mère lui
avait d'abord proposé de garder l'enfant, et finalement, disait les mots justes :

— J'étais une écolière, et à mon âge, je ne me sentais pas du tout la possibilité ou l'envie d'avoir un
enfant...

Nous sommes revenues de Bobigny, folles de
joie... Michèle Chevalier rayonnait :

— C'est fini ! Nous avons gagné !

Je lui ai dit :

— Tu sais, pour toi, ça sera plus dur !

Elle avait déjà oublié qu'elle n'était pas encore
jugée.

— Eh bien ! On se battra ! Et on gagnera !

La bataille la plus importante restait en effet à
livrer. Le procès de Michèle Chevalier, de ses complices et de l'avorteuse était fixé trois semaines plus
tard dans le même Tribunal, mais cette fois, en
audience publique.

Encouragées par les réactions de l'opinion
publique et par la relaxe de Marie-Claire (que je
considérais comme une énorme victoire) nous
avons décidé, à *Choisir*, d'en faire le grand procès de
la loi de 1920. Il faut le dire ; un procès ne peut être
exemplaire que si les accusés, en premier lieu, sont
eux-mêmes exemplaires. En l'occurrence, il eût été
difficile de trouver des femmes plus courageuses et

plus lucides que Michèle Chevalier, Lucette Duboucheix et Renée Sausset.

Un mot sur chacune de ces femmes.

Sur Michèle Chevalier d'abord... Plutôt petite,
mais la tête haute, le regard vif, la parole brève, les
cheveux noirs bien tirés en arrière, qui découvrent
un front large : c'est une énergique, qui a eu des
coups durs mais qui a su faire face ; quand elle
sourit, c'est une très jeune femme : on ne lui donne-
rait pas ses quarante ans.

Elle est accusée. Mais sa mémoire est sans défaut :
elle n'est pas coupable. Levée tôt pour faire le
ménage, laver le linge, préparer le repas des filles,
elle n'a guère le temps de rêver avant de courir
prendre l'autobus qui la mène à la tête de ligne d'où
elle rejoint son poste quelque part entre la Mairie
de Montreuil et le Pont de Sèvres. Dehors, il peut
faire un soleil de vacances : huit heures par jour,
tous les jours, depuis quinze ans, elle vit dans le
trou, à Chaussée d'Antin ou à Miromesnil. Le soir,
elle fait les courses à la hâte, en rentrant. Et de nouveau l'autobus. Et ensuite, à pied, jusqu'aux H.L.M.,
par des rues pas trop bien éclairées, pas trop bien
fréquentées. Un dimanche libre sur trois ou quatre,
c'est le règlement.

Ce jour-là, elle s'occupe des filles. Le rapport de
police — versé aux débats de Bobigny — indique
qu'elle est honnête, sérieuse et que sa réputation est
au-dessus de tout soupçon. À l'audience, elle dira :

— Monsieur le président, j'avais à choisir. J'ai élevé ces trois filles, dont je n'ai pas voulu, mais qui me sont venues : alors, j'ai choisi de sacrifier ma vie.

Elle a sacrifié sa vie. Mais sans pleurnicheries. Avec dignité. Quand on lui parle de l'homme qui l'a abandonnée avec ses trois filles, elle dit, très vite :

— Oh ! Celui-là !...

Sans rancune. Ouvrière, elle milite. À gauche. C'est normal. Sa vie est sans ombre. Rectiligne. Ce qu'elle a fait pour Marie-Claire va de soi. Elle l'a mise au monde, élevée, poussée aux études. Quand la catastrophe est arrivée, elle était là. Comme toujours. C'est pourquoi, quand elle s'est retrouvée devant le juge d'instruction, la première fois, elle a protesté, de tout elle-même, de toute sa vie :

— Mais, monsieur le juge, je ne suis pas coupable ! C'est votre loi qui est coupable !

Et le juge n'a rien compris. Pour sauver sa dignité de juge en péril, il n'a rien trouvé à répondre, que :

— Taisez vous ! Si vous ne vous taisez pas, je vous notifie une deuxième inculpation : pour outrage à magistrat !

Mme Duboucheix et Mme Sausset sont de la même *classe* dans tous les sens du mot. De la même exploitation et de la même dignité.

De Lucette Duboucheix, toujours impeccablement coiffé, vêtue avec goût, il émane une sorte de douceur un peu provinciale. Elle est catholique, pratiquante, ennemie des foules et des fanfares. Au soir du verdict de Bobigny, pourtant, de la tribune de la Mutualité où se pressent plus de deux mille personnes, elle déclenchera des tempêtes d'ovations. C'est que, tout en elle est vrai, vise droit, frappe juste. À Bobigny, avec les mots les plus simples, elle donne à sa démonstration une densité remarquable. Elle dit que, personnellement, elle préférerait « mourir plutôt que d'avorter ». Mais elle ajoute aussitôt :

— Seulement, je n'arrive pas à comprendre... Quand Mme Chevalier est venue me voir, mon devoir était de l'aider, puisqu'elle avait choisi de faire avorter sa fille ou que Marie-Claire avait choisi d'avorter... Au nom de quoi, et au nom de qui, j'imposerais mes convictions aux autres femmes ? Je suis pour que chaque femme choisisse librement et par conséquent, si pour moi, il est clair que je n'aurais jamais avorté, je trouve tout à fait normal que celle qui a fait un choix contraire puisse le faire, sans vivre ce drame que j'ai vécu et partagé avec Mme Chevalier, ma collègue de métro...

Mme Sausset, je l'ai dit, est enfant de l'Assistance publique ; c'est tout un programme, toute une explication, tout un chemin. Abandonnée, elle n'a jamais connu sa mère. Elle est venue dire à la barre du Tribunal :

— Quand Mme Chevalier m'a demandé de l'aider, j'avais le choix : me rendre complice d'un avortement ou complice d'un abandon d'enfant.

Car il était clair — et Marie-Claire l'avait dit et redit — que si on l'obligeait à avoir cet enfant, elle l'abandonnerait à l'Assistance publique. Eh bien, monsieur le président, je n'ai pas hésité. Entre être complice d'un avortement et être complice d'un abandon d'enfant, j'ai choisi d'être complice d'un avortement, et c'est pourquoi, je suis ici aujourd'hui, inculpée...

Mme Bambuk. On pourrait être tenté de lui refuser toute compréhension. Se dire : ce n'est quand même pas pour la « cause » qu'elle s'est battue, puisqu'elle a exigé 1 200 F. Mais, son cas est un des plus dramatiques qui soit. C'est une femme qui élève seule ses trois enfants. Elle n'a pas de quoi payer ses impôts. Elle est en outre très sérieusement malade. On vient lui demander de pratiquer cet avortement. Et si elle sait opérer, c'est parce qu'elle a vécu avec un homme névrosé, atteint de la lèpre — oui ! de la lèpre ! — qui lui répétait qu'en aucun cas, il ne prendrait de précautions, dans leurs rapports sexuels, que c'était à elle de se débrouiller. Et comment se débrouille-t-on quand on n'a reçu ni éducation sexuelle, ni information contraceptive ? On s'en sort tant bien que mal, plutôt mal que bien. En se mettant soi-même une sonde et en avortant. C'est ce qu'elle avait fait, quelques années plus tôt, peu de temps avant le suicide de son mari. Détail important : c'est son ancienne amie de l'Assistance publique qui lui demande d'aider Marie-Claire...

Qui pourrait accabler cette malheureuse ? Quelle femme notamment ? Quelle militante féministe, qui ne reconnaîtrait pas, dans cette vie gâchée, mille traits de l'aliénation des femmes ?

Telles sont les « accusées » qui doivent comparaître à Bobigny, devant le Tribunal correctionnel...

Pendant des jours — et surtout des nuits — leurs visages me hantent. Il faut gagner. Pour elles. Et pour toutes les autres. Pour nous toutes... Mais comment vont-elles affronter l'audience, ce cérémonial anachronique ? Sauront-elles dépasser la timidité, la gêne des explications publiques, le désarroi que cause le langage hermétique de la justice ? Parler de sondes, d'utérus, de sexualité devant ces hommes vêtus de noir, n'est-ce pas une trop difficile épreuve ? N'auront-elles pas soudain — et qui pourrait alors le leur reprocher ? — la tentation de minimiser leur affaire pour tenter d'obtenir l'indulgence des juges ?

Michèle Chevalier me rassure. Avec sa voix nette. Elles veulent se battre. Elles veulent gagner. Cette fois, je le sais : c'est avec des femmes comme elles, de cette trempe-là, que nous devons faire le grand procès *politique* contre la loi de 1920. Car un procès où les accusés comprennent qu'au-delà de leur propre cas, ils se battent pour défendre une cause,

c'est un procès politique. Et c'est un procès politique parce que les accusés se font accusateurs,
qu'ils décident de faire du Tribunal une tribune et
que, par-delà les juges, c'est à l'opinion publique
tout entière qu'ils s'adressent.

Le jugement

Le jugement rendu à Bobigny est un jugement
qu'on peut qualifier d'historique, car il a consacré
l'éclatement de la loi de 1920.

En effet, Michèle Chevalier a été condamnée à
500 F d'amende avec sursis, c'est peu ! Car nous
n'avions pas été tendres pour nos juges. Je veux
dire : nous ne leur avons pas facilité la tâche, nous
avons revendiqué notre culpabilité et nous avons
expliqué que ces faits que nous reconnaissions
avoir commis, n'étaient ni criminels, ni délictueux,
mais qu'ils étaient l'expression nécessaire d'une
revendication de liberté. 500 F et avec sursis pour
cela, c'était trop ou pas assez. Nous avons considéré que c'était trop. Mme Chevalier (et *Choisir* la
soutient, c'est-à-dire que *Choisir* continuera jusqu'au bout dans cette affaire) a interjeté appel de ce
jugement[1].

Le procès, si on avait respecté les délais normaux,

1. Le Ministère public a *volontairement* laissé passer le délai de
trois ans sans fixer l'affaire à l'audience de la Cour d'Appel. D'où
prescription. D'où Michèle Chevalier n'a jamais été condamnée.

aurait dû être plaidé devant la Cour, et ce, il y a longtemps. Il paraît qu'il y a eu des difficultés énormes pour ces pauvres magistrats et greffiers à retrouver trace du dossier à Bobigny ; pour faire le trajet Bobigny-Paris, cela a pris, je crois, quelque six mois. Un record ! Et depuis : rien..., nous sommes dans l'expectative...

Lorsque la date de ce procès sera fixée, sera-t-il mené avec rigueur ? Fera-t-il l'objet d'un acquittement ? Je n'en sais rien, mais le fait est que le résultat sera d'une très grande importance, qu'il se déroule avant (ce que je ne crois pas) ou après le vote de la nouvelle loi.

Mmes Duboucheix et Sausset sont très simplement et très juridiquement complices. En effet, voici comment, en substance, l'article 69 du code pénal définit la complicité : aider par quelques moyens que ce soient, à l'accomplissement d'un délit.

Eh bien, le Tribunal de Bobigny a estimé qu'elles n'étaient pas complices ! Pourtant lors des débats, elles ont expliqué, non seulement pourquoi elles avaient aidé Mme Chevalier, mais pourquoi elles revendiquaient le droit de l'avoir fait. Le Tribunal néanmoins n'a pas estimé qu'elles étaient complices car elles n'avaient pas eu, dit-on, « des rapports directs avec Marie-Claire ».

Avaient-elles eu ou non des rapports directs avec Marie-Claire, je n'en sais rien. Tout ce que je sais, c'est qu'il n'existe pas, dans notre code pénal, un seul texte qui exige un rapport direct avec le délinquant pour que le délit de complicité soit établi.

Cette échappatoire a exprimé, d'une manière éclatante, le désarroi de la justice confrontée à ce problème.

Enfin Mme Bambuk, qui a procédé à l'avortement, a été, elle, sévèrement condamnée à la peine d'un an d'emprisonnement avec sursis.

Si l'on veut bien tenir compte de la vie qu'avait eue cette femme, de sa motivation « large » (car je l'ai déjà dit, il n'y avait pas que l'argent), de son état de santé grave encore à l'heure actuelle (état de santé dont le Tribunal avait été très précisément informé) on peut dire que cette condamnation est d'une extrême sévérité. On a voulu entretenir ce qu'on continue d'ailleurs d'entretenir : le schisme entre l'avorteur et l'avortée. Comme si la femme pouvait se faire avorter sans avorteur, et comme si, frapper aussi lourdement les avorteurs, ça n'était pas d'une manière certaine livrer les femmes, la peur de la répression aidant, à des personnes de moins en moins qualifiées !

Les statistiques montrent effectivement que 85 % des femmes qui avortent sont âgées de vingt-deux à trente-cinq ans. La très grande majorité d'entre elles sont déjà mères de famille (les estimations varient entre 62 et 88 %). Et enfin, le point le plus important à souligner, 84 % des femmes ont recours à des avorteurs sans compétence, c'est-à-dire à des personnes qui n'appartiennent ni au milieu médical ni au milieu paramédical. 84 % des avortements clandestins en France sont donc pratiqués dans les pires conditions[1].

Le jugement de Bobigny a fait éclater la loi, qu'on le veuille ou non. À partir de Bobigny, on peut le dire, il n'y a plus de loi de 1920. Elle a volé en morceaux. Depuis, dans tous les autres procès auxquels il m'a été donné d'assister en tant que défenseur, le Tribunal a dû procéder à un bricolage juridique et judiciaire. Nous sommes — c'est évident — dans une période d'incohérence totale du droit. Ainsi les procès dont *Choisir* est chargé font l'objet d'un renvoi *sine die*[2], ce qui est bien l'aveu, finalement, que cette législation n'est plus applicable en son état actuel.

Les conséquences du procès

Pour Marie-Claire d'abord.

Elle souhaitait, bien avant cette affaire, devenir puéricultrice. Mais elle n'avait pas de diplôme et elle aurait peut-être renoncé à ses projets si les amies de *Choisir* ne l'avaient encouragée. Nous lui avons trouvé une école pratique où elle s'occupe d'enfants atteints de malformations congénitales.

---

1. Grâce au vote de la loi Veil en 1975 et à sa reconduction en 1979, les avortements clandestins n'ont cessé de diminuer : par exemple, de 1976 à 1983, les statistiques montrent que les avortements non enregistrés sont passés de 45 % à 30 %.
2. Renvoi sans fixation... en attente indéterminée.

Un dimanche, elle nous a apporté des photographies de ces gosses. Des images insoutenables. Marie-Claire fait de son mieux pour choyer ces petits monstres — dont les tares peuvent être décelées, dès les premiers mois de grossesse — mais que des médecins irresponsables, englués dans une morale moyenâgeuse et une déontologie anachronique, laissent venir à terme. Pour se prouver qu'ils respectent la vie. Quelle vie ?

Certes, son affaire l'a marquée. Mais elle a été entourée d'une telle solidarité, d'une telle affection qu'une prise de conscience s'est fait jour en elle, à travers cette bataille. Tout cela l'a aidée à garder son équilibre. Marie-Claire deviendra puéricultrice. Elle se mariera, sans doute. Et sans doute, quand elle le choisira, elle aura des enfants[1]...

Pour *Choisir* ensuite.

Les conséquences de Bobigny, pour le mouvement, ont été considérables... Le lendemain du procès, *France-Soir* titrait, à la une, sur le professeur Milliez avec photo. « *J'aurais accepté d'avorter Marie-Claire...* » Ainsi, plusieurs millions de Françaises et de Français, jusque dans les villages les plus reculés, prenaient connaissance du drame de Bobigny, découvraient que l'avortement clandestin pouvait être publiquement évoqué, et enregistraient que de

1. Marie-Claire est en effet, aujourd'hui, la maman d'une petite fille. Mais elle n'a pas pu devenir puéricultrice. Elle travaille dans une usine de la région parisienne.

grands professeurs « de Paris » se plaçaient ouvertement, contre la loi, du côté des avortées... Dans les jours qui suivirent, plusieurs centaines d'articles — échos, entrefilets ou « papiers » de fond — furent publiés sur l'affaire... Les postes périphériques et la télévision y consacrèrent de nombreux « flashes » ou émissions... Cette intervention massive des *mass media* déclencha un torrent de courrier... Le secrétariat de *Choisir*, mon assistante, celle de Delphine Seyrig, et surtout Rita Thalmann, « pilier » du mouvement, furent du jour au lendemain submergés par un flot de correspondance, venue des quatre coins du pays... Déjà, dans les jours qui avaient précédé le procès, d'innombrables messages — lettres, pétitions, télégrammes — étaient parvenus au greffe de Bobigny, exigeant la relaxe de Michèle Chevalier et ses co-inculpées... Cette fois, des femmes, issues de toutes les couches de la population, manifestaient leur solidarité, leur approbation, leur volonté d'entrer dans la bataille...

Le verdict de Bobigny fit la « une » de nombreux quotidiens. Les adhésions se multiplièrent. D'août à novembre 1972, *Choisir* passa de 300 à près de 2 000 adhérents...

Bobigny a été un sommet, un paroxysme. Après, la tension risquait de tomber. Il fallait éviter les dents de scie, maintenir le rythme... Nous avons décidé alors de publier la *sténotypie intégrale* du procès. Pour la première fois dans l'histoire de l'avortement et dans l'histoire de la justice, il serait intégralement rendu compte d'un procès et d'un procès exemplaire. Action illégale, s'il en est, et très spectaculaire. Ce livre n'est ni une critique, ni une œuvre d'atmosphère mais le compte rendu pur et simple, intégral, sans le moindre commentaire, de l'audience de ce 8 novembre 1972, de 13 heures à 22 heures.

Le procureur, à Bobigny, avait commencé son réquisitoire en rappelant aux journalistes présents l'article 39 de la loi du 27 juillet 1881 (appelée loi sur la presse) interdisant formellement la publication des débats d'avortement. Il leur lut même le code pénal, d'entrée de jeu.

Cette menace n'eut aucun effet. La presse ne se laissa pas intimider. Françoise Giroud fut la plus courageuse : dans *l'Express*, elle terminait son article en mettant clairement le pouvoir au défi de la poursuivre. M. Marcellin eut peut-être quelques velléités... Mais déjà, nous étions en période électorale. Le gouvernement n'osa pas entamer l'épreuve de force avec les journalistes. Oserait-il alors saisir *le Procès de Bobigny*[1] ? Le test méritait d'être fait. En moins d'un mois, les éditions Gallimard « sortirent » l'ouvrage, dans une collection populaire qui mettait son prix à la portée de tous.

Les adhérents de *Choisir* organisèrent la vente militante. En quelques semaines — sans la moindre

---

1. *Avortement. Une loi en procès. L'Affaire de Bobigny*, Gallimard (Collection « Idées »), 1973.

publicité — plus de 30 000 exemplaires étaient vendus.

Le gouvernement n'avait pas bougé. Ainsi, après la loi de 1920, les dispositions concernant la publication des procès d'avortement devenaient, à leur tour, caduques. La seconde bataille de *Choisir* était également gagnée.

Jusque-là régnait la loi du silence. À quelle couche sociale appartenait une femme jugée pour avortement ? Était-elle célibataire ? Quelle était sa motivation profonde ? Quelles étaient les circonstances de sa vie qui l'avaient décidée à avorter ? Quel avait été le drame de l'avortement lui-même, clandestin ? Et surtout, oui surtout, quelle avait été son attitude en face de ses juges ? S'était-elle expliquée ? Revendiquait-elle la liberté de ses actes, fondamentalement ? Ou au contraire demandait-elle pardon de s'être fait avorter ?

Tout cela, nul n'en savait rien puisque le silence légal, les cadenas de la tradition et de l'oppression qui pesaient sur les femmes en cette matière empêchaient toute publicité.

Brusquement, avec le livre, la lumière est faite. D'une manière illégale, certes, mais nécessaire. En le lisant on peut s'imaginer être présent à l'audience. Tout y a été scrupuleusement transcrit : les exclamations des uns et des autres, les interruptions, les questions saugrenues, choquantes même.

Je pense qu'il est important, même si cela prête à sourire, d'entendre le président interroger Mme Bambuk, l'avorteuse, et lui demander :

— Comment avez-vous procédé pour faire l'avortement de Marie-Claire ?

— Monsieur le président, je suis allée chez elle et je lui ai mis d'abord un spéculum...

Et le président :

— Le spéculum, vous l'avez mis dans la bouche ?

Risible, absurde, certes, mais scandaleux en définitive ! C'est ce qui me faisait dire au cours de ma plaidoirie :

« Messieurs, regardez-vous, et regardez-nous... *Quatre femmes* comparaissent devant *quatre hommes* pour parler de quoi ? De leur utérus, de leurs maternités, de leurs avortements, de leur exigence d'être physiquement libres... Est-ce que l'injustice ne commence pas là ? »

Cette bataille gagnée a mis fin au silence, à l'humiliation, à la clandestinité surtout. À la clandestinité de l'avortement succédait la clandestinité du procès, la solitude. Après l'expédition chez la faiseuse d'anges, c'était l'expédition d'une « affaire banale » comme a dit un procureur, aussi secrètement que possible. L'affaire toute simple de notre droit de disposer de nous-mêmes.

Tout cela, c'est terminé. Car plus aucun procès d'avortement à l'avenir ne pourra être clandestin.

Le livre de Bobigny qui devait être saisi ne l'a pas été. Nous n'avons pas été poursuivis, et en droit, c'est toujours important. Au même moment, je l'ai dit, se déroulaient les premières joutes pré-électorales. Ce fut sans doute une chance. Le président de la République (lors d'une conférence de presse télévisée) et le Premier ministre (à Strasbourg) furent contraints d'aborder le problème de l'avortement. Certes, ils y mirent, l'un et l'autre, les formes et M. Pompidou se déclara « révulsé » par la question. Mais les deux principaux personnages du régime durent admettre que la législation en vigueur était dépassée et qu'il convenait de lui en substituer une autre. M. Giscard d'Estaing, pour n'être pas en deçà de la main, fit entendre une voix libérale. Et M. Duhamel donna quelques déclarations encourageantes. Les partis de gauche, pour leur part, exigeaient tous l'abrogation des textes répressifs en matière d'avortement. Cette disposition figurait notamment dans le Programme commun de gouvernement, signé par le parti communiste, le parti socialiste et les radicaux de gauche. Toutefois, il était notoire que le P.C. n'envisageait pas la liberté totale de l'avortement. Les communistes étaient seulement partisans d'une loi « à cas », comprenant bien sûr les « cas sociaux ». Or, dès lors qu'une loi n'autorise l'avortement que dans certains cas — recouvriraient-ils 95 % des 800 000 avortements clandestins annuels — cette loi demeurerait répressive dans le principe car serait encore dénié à la femme le droit de choisir.

Nous avons, à maintes reprises, souligné cette contradiction.

Entre-temps nous avions complété le projet de loi *Choisir*. Une étude plus approfondie de la législation new-yorkaise en la matière et les conseils du docteur J.-L. Brenier, membre associé de l'Académie de chirurgie et militant de *Choisir* à Grenoble, nous permirent de proposer aux partis de gauche, en avril-mai 1973, un texte dont nul ne pouvait discuter le sérieux.

Les socialistes, grâce à François Mitterrand et à Gaston Defferre, optèrent finalement pour lui.

CHAPITRE IV

LA LOI

La loi de 1920

En France, hormis la Constitution — loi organique, structurelle et politique de l'État — il n'y a rien de plus haut dans la hiérarchie législative que la loi elle-même. La loi est censée être l'expression de la volonté populaire puisqu'elle est votée par l'Assemblée nationale.

Or, la loi de 1920 qui fut mise en pièces, à Bobigny, personne en France ne la connaissait vraiment. On savait que l'avortement était interdit mais qu'en même temps, plusieurs centaines de milliers de femmes avortaient chaque année. Parfois, on apprenait que certaines d'entre elles « passaient » en correctionnelle. Mais c'était tout. Un silence opaque — hypocrisie ? crainte ? culpabilité ? — recouvrait le drame. Ces femmes poursuivies, qui étaient-elles ? Comment étaient-elles jugées ? Pourquoi avaient-elles avorté ? À quoi les condamnait-on ? Autant de questions qui restaient sans réponse. Il fallait rompre le silence.

En réalité ce qu'on appelle la loi de 1920 a subi, en cinquante-trois ans, plusieurs modifications pour devenir le texte en vigueur aujourd'hui : l'article 317 du code pénal[1]. Mais, il est important de le souligner, même si depuis 1920 diverses mesures sont venues modifier la portée de la loi, son contenu essentiel n'a pas changé. La répression actuelle tient, tout entière, dans la mouture initiale.

À la chambre des députés, ce 23 juillet 1920, on doit débattre de l'amnistie. Mais, surprise ! le président de séance annonce que le problème de l'avortement est inscrit à l'ordre du jour.

La lecture du *Journal Officiel*, qui rend compte de la séance, est édifiante. Deux députés de gauche,

---

1. L'application de l'article 317 du *code pénal* (en annexe, p. 235) a été suspendue, d'abord pendant une période de cinq ans par la loi du 17 janvier 1975 (dite *loi Veil*), puis définitivement par la loi du 31 décembre 1979 (textes en annexe, pp. 241 et 252).

Mais cette loi donne encore lieu à de très grandes difficultés d'application (obligation d'une autorisation pour les mineures, délai de 10 semaines trop court, abus de la clause de conscience...). C'est pourquoi, j'ai déposé à l'Assemblée nationale, en 1984, une proposition de loi (texte en annexe, p. 259).

Aujourd'hui, si les I.V.G. sont remboursées comme des actes médicaux ordinaires (loi du 31 décembre 1982), c'est parce que les femmes sont à nouveau descendues dans la rue. Des militantes de *Choisir* ont même lancé des tracts dans l'hémicycle de l'Assemblée nationale, causant le scandale indispensable à faire reconnaître leur droit.

Berthon et Morucci, tentent de s'opposer à un débat
que la majorité a voulu ouvrir à la sauvette et terminer aussitôt... Ils essayent, l'un et l'autre, de
démontrer que la répression sera inefficace, qu'il
faut donner aux femmes et aux couples des conditions de vie plus décentes... La droite s'impatiente.
Elle conspue les orateurs... Léon Daudet et Xavier
Vallat — qui finiront tous deux dans la collaboration avec les nazis — sont parmi les plus excités et
les plus vulgaires. Les partisans de la répression ne
s'embarrassent pas de nuances. L'avortement
menace la *race*. Après la saignée de 1914-18, il faut
des enfants, à pleins bras. Ceux qui défendent la
contraception sont des agents de l'Allemagne. Leur
propagande est payée par « l'argent boche » *(sic)*.
Dans cette Assemblée, composée en majorité
d'anciens combattants (d'où son nom de Chambre
« bleu horizon ») ces coups de clairon font mouche.
Des députés, dont Vincent Auriol, Vaillant-Coutu-
rier et Léon Blum, contre-attaquent : ils demandent
l'ajournement du débat. Par 500 voix contre 81,
cette demande est rejetée. Berthon s'écrie : « Votre
morale peut se résumer en cette phrase : toute
liberté pour la bourgeoisie, mais pour le peuple, des
enfants, afin de les opprimer ! » Il est à peine des-
cendu de la tribune que la loi est votée, par 521 voix
contre 55 !

Six jours plus tard, le 29 juillet, le Sénat adopte
sans débat le texte voté par les députés. Un sénateur de droite, Cheyron, prend la parole après le
rapporteur. Il sera bref : « Je me borne à dire ceci : le

législateur vient de faire son devoir ; il reste à souhaiter que les Tribunaux fassent le leur, dans
l'application de la loi ! » On l'applaudit très fort. La
proposition de loi est aussitôt adoptée.

Voilà dans quelles conditions, dans quelle hys-
térie, a été votée la loi de 1920.

Je signale en passant que c'est pendant l'occupa-
tion allemande que la répression, en la matière, a
connu ses plus beaux jours. Un Tribunal de Pétain a
condamné à mort, une femme, Marie-Louise
Giraud[1], pour avoir procuré l'avortement. Fait raris-
sime dans les annales judiciaires françaises, cette
femme a été exécutée. À la même époque, les nazis
avaient également institué la peine de mort pour
punir l'avortement. Cette mesure extrême, intro-
duite dans l'article 218 du code pénal du Reich, était
ainsi justifiée : « L'avortement porte atteinte à la
force vitale du peuple allemand. » Nos vaillants législateurs de 1920 n'avaient pas raisonné autrement.

Réactionnaire, l'article 317 l'est par son caractère
fondamentalement discriminatoire.

La répression frappe toujours les mêmes femmes,
ainsi que je l'ai démontré à Bobigny. En vingt ans de

---

1. Cf. *Une affaire de femmes, Paris, 1943 : exécution d'une avorteuse* (Balland, 1986) de Francis Spiner et l'excellent film de
Claude Chabrol — *Une affaire de femmes* (1988).

barre je n'ai jamais vu, traduite devant un Tribunal, pour avortement ou complicité d'avortement, la femme d'un P.-D.G., d'un haut magistrat ou celle d'un ministre ! Ni même la maîtresse d'un de ces messieurs ! Et pourtant, nous savons bien qu'elles sont comme nous : qu'elles sont enceintes et qu'elles avortent ! Seulement, elles avortent dans les meilleures conditions. Elles prennent discrètement l'avion pour l'Angleterre ou pour la Suisse. Mieux encore : les cliniques confortables ne manquent pas, aux portes de Paris ! Et lorsque, par inadvertance, un médecin se fait arrêter et que la police saisit son carnet d'adresses ou son agenda, les listes qu'on y trouve sont expurgées des noms trop voyants...

Sur 461 femmes condamnées, on compte[1] :

— 2 femmes cadres supérieurs et 2 femmes d'industriels.

Mais par ailleurs :

— 141 ouvrières,
— 132 employées de maison,
— 123 fonctionnaires de bas échelon,
— 61 petites commerçantes.

En janvier 1973, à Angers, dans une affaire dont *Choisir* a eu à connaître, 82 personnes ont été interrogées ou inculpées. On trouvait, parmi elles :

— 20 ménagères, femmes d'ouvriers ou de milieu modeste,
— 16 filles de salle, serveuses ou vendeuses,
— 15 employées de bureau,

1. Étude de M. J.-P. Doll, conseiller à la Cour d'Appel de Paris.

— 11 ouvrières,
— 2 infirmières,
— 1 assistante sociale,
— 1 enseignante dans un C.E.G.

Et... un abbé ! Poursuivi pour complicité !

Ces chiffres se recoupent et parlent d'eux-mêmes ! Avortement : justice de classe s'il en est !

L'article 317 est aussi un des plus répressifs qui soient. Contrairement à un de nos principes essentiels de droit pénal, il punit l'intention seule. Il punit le délit impossible. Un exemple récent :

À Nancy, une jeune fille de seize ans, fille de femme de ménage, a été condamnée à quinze jours d'emprisonnement avec sursis alors que, se croyant enceinte et *ne l'étant pas*, elle s'était fait faire une injection de proluton-œstradiol, par un ami, étudiant en médecine, ami de son ami. Lequel proluton, comme chacun le sait, n'est *pas un produit abortif*. Voilà donc un jugement prononcé en vertu d'un texte qui punit d'avortement une fille qui n'est pas enceinte et qui, finalement, n'a pas pratiqué sur elle de véritables manœuvres abortives.

En droit, cela s'appelle le délit impossible : une fille qui n'est pas enceinte et qui n'utilise pas de produit abortif ne peut pas avoir commis le délit d'avortement. C'était physiologiquement impossible ! Autant poursuivre pour meurtre celui qui tirerait sur un cadavre !

On a donc puni l'intention. Les procès d'intention, nous le savons, sont les procès qui ont le moins de rapport avec la justice. Il est permis de se poser la question : que voulait-on réprimer dans ce procès ? La réponse me paraît évidente : on réprimait le droit que la fille s'était arrogé — consciemment ou non — de disposer d'elle-même.

Elle avait cru qu'elle était enceinte. Elle ne l'était pas. Mais elle a *pensé* que c'était son droit de décider de ne pas mener à bout une grossesse non désirée. C'est cette pensée *coupable* en somme que les magistrats ont voulu sanctionner, cette revendication, exprimée dans les faits, de liberté de la femme. Je crois que c'est tout le sens, à peine voilé d'ailleurs, de l'article 317.

La loi de Choisir

Choisir, dès sa création, bien avant Bobigny, bien avant tous ceux qui se sont préoccupés depuis de savoir s'il fallait changer la loi, s'était fixé comme but de préparer une proposition de loi. Proposition qui devait être signée par des députés puis déposée à l'Assemblée nationale. C'était ambitieux. Et tout le monde n'était pas de notre avis...

Il était important d'abord d'expliquer notre démarche, pourquoi nous voulions supprimer la loi de 1920, cette épée de Damoclès suspendue au-dessus de la tête, du ventre et de la liberté des femmes. Donc, faire son procès. Il était important aussi de démontrer son injustice, son anachronisme

et de décrire en même temps les systèmes libéraux
pratiqués à l'étranger. Il était important enfin, au
terme de la démonstration, de passer à l'exécution
pure et simple des thèses de nos adversaires. Exécution de l'hypocrisie qui, sous le couvert de l'argument patriotique (l'économie nationale, la démographie), ou humaniste (le respect de la vie), ne
visait à rien d'autre qu'à maintenir la femme dans
un asservissement séculaire.

Mais ce n'était là que la moitié du chemin. Supprimer la répression, c'est bien. Mais nous voulions
surtout organiser *positivement* la liberté. Tel était
notre but. Comment faire donc pour que cette
liberté ne demeure pas une fois de plus formelle ?
Comment donner à la femme les moyens de la pratiquer effectivement ? De choisir de donner la vie ?

À première vue, on peut se demander ce qui
fonde la nécessité d'une loi. Ne suffirait-il pas
d'abroger purement et simplement la loi de 1920 ?
À chacune, ensuite, de s'organiser comme elle
l'entend. Chaque femme ne devient-elle pas *ipso
facto* maîtresse de son corps et souveraine... ?

Alors pourquoi une loi ?

D'abord il n'est pas de liberté naturelle dans
notre monde. La liberté naturelle c'est la loi de la
jungle. La liberté naturelle exige d'être organisée.
Sinon elle est confisquée par les privilégiés, au
détriment des autres.

Une anecdote — encore qu'appeler ainsi un des

drames les plus terribles de cette répression semble indécent. C'est l'histoire d'une jeune fille, Danièle Métois, vingt ans. Mère célibataire (euphémisme « libéral »), d'une fillette de trois ans. Elle vit avec un chauffeur de camion, un routier. Nous sommes à Châtellerault au mois d'avril 1973. Elle est enceinte. Danièle Métois veut avorter, elle ne peut d'ailleurs pas faire autrement. Elle travaille vaguement dans un bar comme serveuse. Son budget pour avorter : 100 F. On lui donne l'adresse d'un avorteur d'occasion, un jardinier, me semble-t-il, absolument dénué de compétence et de scrupule, mais fermement décidé à se constituer un certain magot. L'avortement clandestin peut être très rémunérateur en France, sans pour cela comporter les risques du hold-up.

Danièle Métois va le trouver. Marché conclu. Pour 100 F il l'avortera. Il lui met une sonde d'occasion. Il la rend rigide en y introduisant un fil de fer. Puis l'avorteur lui fait une injection de vinaigre chaud. La jeune femme rentre chez elle, soulagée. L'opération est terminée et bien terminée. Elle a cependant mal, très mal. Elle passe une très mauvaise nuit. C'était un mardi soir, je crois. Le mercredi, toute la journée, elle souffrira, elle se tiendra le ventre, elle se mettra même à hurler et sa concierge l'entendra appeler. Le jeudi matin, son état s'aggrave et on décide de la transporter à l'hôpital. Dans la journée de jeudi, Danièle Métois mourra.

La loi de 1920 l'a assassinée.

Pourtant, une fois cette loi supprimée, qu'adviendra-t-il de toutes les Danièle Métois de France ? Si aucune autre législation n'est promulguée, comment leur donner concrètement le droit d'entrer dans un établissement hospitalier, de s'y faire avorter par des praticiens compétents, et d'obtenir le remboursement de la Sécurité sociale ? Sans loi, demain et de la même manière, Danièle Métois serait morte.

Car Danièle Métois ira de la même manière trouver ce même avorteur. Elle n'a que 100 F, ne l'oublions pas et la suppression de la loi ne l'aura pas enrichie.

Le seul fait nouveau, en l'occurrence, tiendrait dans l'absence de répression. Autrement dit, l'avorteur de Danièle Métois, aujourd'hui poursuivi, ne le serait pas demain, sous l'empire d'une abrogation pure et simple de la loi.

Est-ce suffisant ? Est-ce le but que nous poursuivons ? Supprimer la répression est pour nous la condition nécessaire mais non suffisante pour que la femme jouisse d'une véritable liberté en ce domaine.

Pour ce faire, que cela plaise ou non, lois, décrets ou arrêtés, il faut légiférer.

Le souci que *Choisir* a de la santé, de l'intégrité physique et morale de la femme implique une bataille pour une nouvelle loi.

Je juge irresponsables et, à la limite, criminels, ceux qui prétendent que la femme (surtout si elle est démunie de ressources) est libre lorsqu'elle peut dire : « Puisque l'avortement n'est plus un délit, je vais demander à ma voisine, qui s'est déjà fait avorter, comment manipuler une seringue Karman... »

À ce propos je pense au meeting que nous avons fait à Grenoble, au mois de mai 1973, juste après l'inculpation du docteur Annie Ferrey-Martin, mon amie. C'était un meeting dit d'union. Pas assez large à mon sens car les grands partis de gauche n'y participaient pas. En revanche le M.L.A.C.[1] trônait. Mal informée, je n'y voyais pour ma part aucun inconvénient. J'ai donc pris la parole, pour expliquer notre projet de loi. À ce moment-là, Simone Iff, vice-présidente du M.L.A.C. et présidente du planning familial, a exprimé publiquement, très fort, son désaccord avec ce que je disais. « Mais nous n'avons pas besoin d'une loi pour décider de la venue au monde de nos enfants ! » s'est-elle exclamée, fortement applaudie d'ailleurs. Envolée démagogique s'il en est ! Un groupe m'a alors interpellée en me disant : « Si tu t'imagines que nous allons avoir la moindre action en direction de ce guignol (c'était l'Assemblée nationale) pour appuyer la proposition de loi de *Choisir*, tu te fous le doigt dans l'œil. »

Des médecins du G.I.S. ont également pris la parole pour appuyer le M.L.A.C. : pas de loi.

En France le rapport de forces est tel que, même dans le cadre d'une liberté formelle, l'absence de loi jouerait fatalement contre les femmes les plus défavorisées, économiquement et socialement. Je pense

1. Mouvement pour la Liberté de l'Avortement et de la Contraception, créé, en avril 1973, à l'initiative de l'ex-Ligue Communiste.

à tout ce qui s'appelle liberté, qui n'est en fait que libéralisme économique. Flambeau de la « liberté » à la main, les libéraux n'ont fait qu'organiser leurs privilèges.

À première vue, un ouvrier de chez Peugeot peut, s'il le décide, passer un week-end de détente à Acapulco. Aucune loi ne l'empêche de se rendre à Orly et de le faire. Il ne lui manque tout simplement que d'être millionnaire ou... une loi qui instaurerait une réelle égalité économique entre tous... Va-t-on dire pour autant que tous les ouvriers de chez Peugeot sont « libres » de vivre comme leurs employeurs ?

De la même manière, Danièle Métois — cas symbolique —, « libre » d'avorter (si la loi répressive est supprimée) mais n'ayant pas les moyens de se rendre dans une clinique, a besoin d'une loi pour avorter dans les meilleures conditions.

« *Entre le fort et le faible c'est la liberté qui opprime et le droit qui affranchit* », disait déjà Lacordaire.

Où iraient les femmes les plus opprimées si nous nous contentions de leur dire : « Vous pouvez y aller, ce n'est plus clandestin, l'avortement est libre, débrouillez-vous donc... » ?

Le véritable clivage — c'est ce que les femmes criaient à Bobigny — demeurerait, tel qu'en lui-même. La libre entreprise, le « laissez faire, laissez passer », sur le marché de l'avortement c'est encore « l'aiguille à tricoter pour les pauvres, les cliniques de Neuilly pour les riches ».

Une fois nos travaux terminés, j'ai pris le projet de loi et, en quelque sorte, j'ai dit « Qui en veut ? »

Je l'ai d'abord proposé à des députés disparates. L'important était qu'il y ait une proposition de loi à l'Assemblée, et, à partir de cette donnée, que puisse être continuée la bataille dans l'opinion publique. Puis j'en ai parlé à François Mitterrand, secrétaire national du parti socialiste, et à Gaston Defferre, président du groupe parlementaire. À partir de nos travaux, le parti socialiste a estimé le moment venu de faire une proposition de loi. Personnellement, je m'en réjouis, et je ne suis pas étonnée. Ce qui m'aurait beaucoup étonnée, en revanche, c'est que M. Poniatowski soutienne le projet de *Choisir* — ce que personne ne l'a jamais empêché de faire d'ailleurs !

Car notre bataille est apolitique, et nous continuerons de la mener ainsi. *Choisir* est un mouvement de masse, et si l'on veut de ses 3 objectifs, à quelque horizon qu'on appartienne, on est la et le bienvenu.

Pour la liberté de l'avortement on trouve tous les partis de gauche, d'extrême gauche et les syndicats. Contre l'avortement on trouve la droite, l'extrême droite, l'U.D.R.[1] C'est un fait. À chacun d'en tirer la conclusion...

Le parti socialiste a donc pris ce projet et y a apporté quelques variantes. En y incluant, par exemple, la nécessité d'informer l'un des deux parents d'une mineure de moins de dix-huit ans qui

1. L'Union pour la Défense de la République, née en 1968, est devenue le Rassemblement pour la République (R.P.R.) en 1976.

souhaiterait avorter. Mesure à mon sens peu souhaitable car cette « information », qui n'exige même pas une autorisation, est une mesure pour rien. Avec pourtant une conséquence qui peut être grave : la coupure affective et matérielle entre des parents et leur fille dans le cas où, une fois « informés », ils se montreraient hostiles au projet de leur enfant.

« Récupération politique » disent certains — c'est un mot à la mode et qu'on emploie n'importe comment. Récupération ? Voire.

Si notre proposition de loi devient *la* loi, ce sera parce que notre action aura permis la naissance et la mobilisation de nouvelles forces.

Comment ?

Par la démonstration exemplaire du procès de Bobigny.

Par le refus de reconnaître toute validité à une loi répressive, injuste, anachronique, contraire à la liberté de la femme.

Par la pratique, grâce à *Choisir*, dans les meilleures conditions médicales, d'avortements « sociaux » rigoureusement sélectionnés, comme, par exemple, à Saint-Étienne[1].

—————————

1. Les médecins du GLACSE (Groupe pour la Liberté de l'Avortement et de la Contraception de Saint-Étienne), qui pratiquaient des avortements et furent poursuivis en septembre 1973, ont été soutenus dans leur action par *Choisir,* notamment pour la création de centres d'orthogénie.

Lorsque, dans la montée des luttes et avec le soutien de l'opinion publique, une revendication populaire se trouve être soutenue par des organisations, des partis, des militants et par presque toutes les femmes d'un pays, lorsqu'une revendication s'impose ainsi au pouvoir, la récupération s'appelle *la victoire*.

À *Choisir* nous n'avons pas cette conduite d'échec qu'ont certains groupuscules et certains militants, qui, à travers leurs névroses et leurs problèmes personnels, continuent d'avoir la hantise de l'aboutissement de leur bataille.

Le parti socialiste reprend presque intégralement les travaux de *Choisir*. Il va se battre et tenter de provoquer un mouvement dans la gauche en faveur de cette loi. Bravo !

Je dis bravo mais cela n'indique pas pour autant que nous entrions au parti socialiste ni que les socialistes adhèrent en bloc à *Choisir* !

De quelle récupération s'agit-il donc ?

Le projet du gouvernement

Le gouvernement a déposé un projet de loi[1]. Le fait que ce projet existe est la preuve que nous avons

---

1. Il faudra attendre que Simone Veil remplace en 1974 Michel Poniatowski au ministère de la Santé pour qu'un pas décisif soit fait et que soit votée une loi libéralisant l'avortement (*Loi Veil,* 1975). Cf. annexe p. 241.

remporté un bout de victoire, que notre bataille a porté ses fruits. Le gouvernement a cédé, il a été contraint d'accepter le principe de la révision de la loi de 1920. Ceux qui, un soir, ont vu Messmer, à la T.V., s'embrouiller en tentant de justifier la position du pouvoir, ont savouré *notre* victoire... et le chemin parcouru en moins de dix-huit mois !...

Or ce projet gouvernemental, que prévoit-il ?

La possibilité d'avortement en cas de danger pour la vie de la mère (rien de bien neuf, c'est l'état actuel de notre droit), en cas d'anomalie fœtale, de viol, d'inceste, en cas de menaces graves pour la santé physique, psychique ou mentale de la femme.

Première constatation négative, et qui, à elle seule, caractérise ce régime : le « cas social » n'est pas pris en considération en tant que tel. C'est tout simplement scandaleux. Car selon les statistiques, la plupart des avortements sont pratiqués sur des femmes qui ont déjà des enfants et qui ne peuvent plus en élever d'autres. Le « cas social » est l'avortement le plus fréquent.

Voici quelques-unes des réponses obtenues, en 1971, aux questions posées à des jeunes couples sur les raisons que les Français avaient de vouloir limiter les naissances[1] :

— ressources insuffisantes : 78 %,

— difficultés pour les jeunes de trouver du travail : 74 %,

— insécurité de l'emploi : 73 %,

---

1. Sondage Sofrès 1971 publié dans *le Pèlerin*.

— coût de l'éducation : 72 %,

— difficultés de logement : 68 %,

— difficultés de concilier le travail de la femme et l'éducation de l'enfant : 63 %,

— insécurité de l'avenir : 68 %,

— insuffisance de locaux sociaux, et coût très élevé : 61 %,

— taux insuffisant des allocations familiales : 52 %, etc.

Lorsqu'on légifère sur l'avortement, la réalité concrète doit être le point de départ de l'étude de la nouvelle législation. Cette réalité, c'est l'existence des avortements clandestins — des centaines de milliers. Il est clair que, dans le projet gouvernemental, cette donnée dramatique est délibérément ignorée. Une société qui feint de l'ignorer est une société coupable. Car les femmes continuent à payer de leur santé, de leur liberté, de leur vie même, l'impuissance et l'hypocrisie de nos législateurs.

L'absence du « cas social » cela signifie que, sous l'empire de cette nouvelle loi, nous pourrions avoir un nouveau Bobigny et de nouvelles condamnations. Ces femmes, souvenez-vous-en, avaient agi parce que, compte tenu de leurs conditions de vie, en ce qui concerne Marie-Claire et sa mère, elles n'étaient pas en mesure de faire face à une naissance.

Alors, vous suggérera-t-on : « À quoi sert de vous attacher aux principes et aux étiquettes ? Vous n'avez qu'à vous glisser dans les cas psychiques. » Qu'est-ce à dire ? Que si une mère de quatre enfants, femme d'ouvrier, enceinte une cinquième fois, décide en toute lucidité — et c'est là la marque de son plein équilibre psychique — de ne pas avoir d'autre enfant, et si elle le formule ainsi, la loi lui répondra : « Désolé, Madame, vous ne pouvez pas avorter, allez donc chercher une aiguille à tricoter et puis venez nous en rendre compte devant les tribunaux. » Mais si elle vient dire : « Ce n'est pas que je sois un " cas social ", mais, si je devais avoir un cinquième enfant je basculerai dans le déséquilibre psychique et mental, je risquerai de devenir folle. » Eh bien là, on lui délivrera son bon pour l'avortement. Autrement dit, ce que l'on exige des femmes, c'est qu'elles deviennent des simulatrices. Le temps du mépris.

Conception jurisprudentielle de la loi, qui est, à mon sens, déshonorante pour la femme. C'est le règne de Tartuffe. C'est vouloir obliger une femme à jouer la comédie, à ne pas être elle-même, à donner d'autres raisons que celles qui sont objectivement et subjectivement à la source de sa décision d'avorter. C'est au fond, et on voit bien là le propos du gouvernement, vouloir satisfaire, dans l'hypocrisie, les uns et les autres en disant aux femmes : « Faites un effort, jouez la comédie » et aux adversaires, réactionnaires de tous bords et autres intégristes catholiques : « Vous voyez, nous avons été très modérés. La preuve : le " cas social ", nous ne l'avons pas autorisé. »

C'est une disposition ou plutôt une absence de disposition qui, à elle seule, condamne cette loi.

Nous ne voulons pas avorter en passant à travers

les mailles du filet législatif et devant des psychiatres et des juges. Nous voulons avoir le droit de le
faire lorsque nous l'avons décidé, sans culpabilité,
sans peur, sans honte, sans complexes. Comme des
femmes libres et responsables qui décident d'elles-
mêmes, sans être acculées, pour le faire, à une
infâme comédie.

Une loi civile c'est un rapport social. Rapport qui,
autant que faire se peut, doit coller au progrès, aux
mœurs, exprimer, dans une certaine mesure, une
dynamique, une évolution.

En aucun cas, en France, pays constitutionnellement laïc, la loi ne doit être le reflet d'une religion
ou l'expression de la morale restrictive d'un groupe.

La législation répressive actuelle est implicitement « indexée » sur les préceptes religieux judéo-
chrétiens. Elle contraint la majorité des femmes
— celles qui croient au ciel et celles qui n'y croient
pas — à se déterminer en fonction de ces interdits.

Ce n'est pas admissible.

Les femmes doivent avoir les enfants qu'elles désirent et, selon leurs convictions religieuses ou philosophiques, pouvoir interrompre ou non une grossesse non désirée.

Voilà la loi de *Choisir* : tolérance, responsabilité et
choix.

CHAPITRE V

AVORTEMENT ET SEXUALITÉ

Il est significatif que, dans le projet de loi de *Choisir*, l'avortement ne soit traité que dans le titre II, le I étant consacré à la contraception et à l'éducation sexuelle.

La ligne de bataille de *Choisir* n'est pas en effet de faire une croisade pour l'avortement. Nous n'avons jamais voulu — je ne le répéterai jamais assez —, faire de l'avortement un moyen de régulation des naissances, ou répandre le « J'avorte, parce que tel est mon bon plaisir[1] ».

Pour nous, l'avortement est un ultime recours, mais auquel les femmes doivent avoir accès dans les meilleures conditions.

Dans une conception idéale, et dans une France où les femmes disposeraient d'une contraception

---

1. *Choisir* a toujours proclamé :
       « mon choix : donner la vie,
       « ma liberté : la contraception,
       « mon ultime recours : l'avortement. »

libre, totale, gratuite, sans condition dissuasive, d'une contraception diffusée à travers les mass media, la télé, la radio, les journaux, et surtout par une information sexuelle, large et populaire, pourrait-on parler encore d'avortement ? Oui. Il resterait encore les cas de viol ou d'inceste, d'échec de la contraception, d'erreur, d'oubli. On voit à quel point, l'avortement pourrait être restreint.

La contraception

Si nous ne faisons ni propagande ni croisade pour l'avortement, en revanche, il y aurait une véritable propagande, une croisade à orchestrer d'une manière populaire en faveur de la contraception. Dans les pays tels que la Roumanie et la Hongrie où la libération de l'avortement et la mise en place de la contraception n'ont pas été menées de front, on a enregistré un échec. Les femmes ne se sont senties tenues par aucune discipline contraceptive. Mal informées, elles ont pensé qu'elles pourraient avorter autant de fois qu'elles le désireraient. Ce qui est radicalement faux, dangereux et peu souhaitable dans la perspective de responsabilité que nous voulons pour la femme. L'avortement en aucun cas ne saurait être un moyen de contraception.

Il n'est que le moyen de faire échec à l'échec, de réparer l'oubli, de barrer la route à l'erreur. N'est-ce pas cela que l'on appelle la science, le progrès, l'humanisme même ?

Peut-on dire que la loi Neuwirth a véritablement rendu la contraception populaire en France[1] ?

Bien sûr que non. Car, telle qu'elle est formulée, elle ne peut être que mal appliquée. On freine sa pratique par une série de conditions : autorisation pour les mineures de 18 ans, obligation du carnet à souches, etc. Et on enveloppe le tout d'un énorme silence, une quasi-clandestinité. Silence de la presse — grande et petite —, de l'O.R.T.F.[2] Absence de toute explication pour convaincre les femmes, pour leur faciliter la démarche. En un mot, rien pour rendre la contraception populaire.

D'abord les seuls qui sachent vraiment ce que contraception veut dire, ce sont les techniciens, les praticiens, les laboratoires, les médecins ; ils échangent entre eux leurs prospectus et leurs journaux spécialisés. Les femmes, elles, sont laissées dans l'ignorance. Seules certaines privilégiées, appartenant aux professions libérales, aux cadres, celles qui bénéficient, d'une aisance matérielle, intellectuelle et culturelle, savent de quoi il s'agit.

Quoi d'étonnant alors à ce que l'on arrive au chiffre dérisoire de 6 à 7 % pour le nombre de

1. La loi votée en décembre 1967 et les décrets d'application publiés en avril 1972 étant très en retrait par rapport à l'évolution des comportements, une nouvelle loi, modifiant la loi Neuwirth, a été votée le 4 décembre 1974 (décrets d'application du 6 mai 1975).

2. L'Office de Radio et Télévision Française regroupait les chaînes existantes, qui appartenaient toutes au secteur public.

femmes, en France, qui pratiquent la contraception[1] ? Les femmes les plus défavorisées ne savent
de la contraception que ce qu'en disent les journaux
à grand tirage, à scandales. Elles « savent » par
exemple, et elles en sont de plus en plus persuadées,
que la pilule fait grossir, qu'elle donne le cancer,
fait tomber les cheveux, empêche de bronzer...

Non seulement il n'y a pas d'information claire,
publique, précise pour persuader les femmes que
c'est là la solution au choix d'une grossesse, mais on
laisse se déchaîner une véritable contre-propagande
qui a d'autant plus de prise sur les esprits qu'ils sont
moins armés pour la refuser ou en discuter.

Les pouvoirs publics empêchent la contraception
de passer dans les mœurs. Pourquoi ? Parce qu'ils
restent sous le coup des interdits religieux. Le pape a
condamne la contraception. Il a autorisé la méthode
Ogino. Ou plutôt, la seule contraception que l'on veut
bien nous concéder, au nom de Dieu et de la science
de « Laissez-les vivre », c'est l'abstinence. Si vous ne
voulez pas d'enfant, mesdames, ne faites pas l'amour.
Et si vous vous entêtez à faire l'amour pour le plaisir
et non pour la procréation, vous paierez ce crime par
une naissance non désirée. *Peine de vie* en somme !

Voilà au fond toute la philosophie de ceux qui
n'admettent même pas la contraception.

1. Aujourd'hui, fort heureusement, il n'en est plus ainsi. Deux
femmes sur trois pratiquent la contraception (enquête de l'Institut National d'Études Démographiques, 1988). Depuis 1990, on
peut cependant craindre un retour en arrière avec la suppression du remboursement de certaines pilules.

Il y a pourtant un moyen de faire passer cette contraception dans les mœurs.

Choisir pour sa part a tenté une démarche auprès de M. Arthur Conte[1] pour lui demander de lui accorder régulièrement une ou deux fois par semaine, à un moment de grande écoute, une heure d'antenne sur la contraception. Il ne s'agira pas de parler de l'avortement (illégal), mais de la contraception, puisqu'elle existe et que les femmes, nous dit-on, n'ont qu'à se baisser pour ramasser les pilules. Donc, simplement, des émissions pour informer la femme sur un sujet vital pour elle, comme il en existe pour informer le consommateur.

Monsieur Conte n'a pas encore répondu[2].

Cette démarche n'a pourtant rien de saugrenu. Il existe en France (je l'ai vu) des endroits où la pilule et le stérilet sont gratuits, où l'on vante les mérites de la contraception par d'énormes affiches sur l'autoroute, à la télévision, à la radio, sur des vignettes autocollantes qui représentent une maman kangourou ayant dans sa poche un bébé kangourou, et, en face d'elle le fils kangourou aîné qui dit : « Maman, deux ça suffit ! » Cette affichette[3] est apposée le long des murs des commissariats, dans les écoles, et, en format réduit, sur les pare-

1. Ancien P.-D.G. de l'O.R.T.F.
2. Une émission, préparée par P. Desgraupes avant notre intervention, a été diffusée en septembre 1973. Malgré certains aspects positifs, cette émission comportait encore bien des « mystères » angoissants pour les femmes...
3. En annexe, p. 238.

brise des voitures. Le planning familial connaît là-
bas un essor considérable.

Où est donc ce « pays d'avant-garde » ?

Eh bien ! c'est l'île de la Réunion, département
français d'outre-mer.

Il est clair qu'il y a une politique de la contraception (pour ne pas dire de l'avortement) qui est
bonne pour ces départements et qui ne l'est pas
pour la France métropolitaine.

Pourtant M. Debré, ancien ministre, député de la
Réunion, nous a dit, avec beaucoup d'émotion dans
la voix, que la France avait besoin de 100 millions
de Français. Fort bien. Mais il aurait fallu que
M. Debré précisât alors honnêtement que ces Français, il ne les voulait ni noirs, ni martiniquais, ni
métis, ni réunionnais...

Avec un minimum de logique, on peut se poser la
question : pourquoi les tabous religieux, le respect
de la vie, tout ce magma philosophique, métaphysique, dont on entoure le problème du choix pour
la femme de donner la vie, pourquoi connaissent-ils
un sort différent en France et dans les départements
français lorsqu'ils sont outre-mer ?

Avec le même minimum de logique on peut
répondre à cette question que ce n'est ni le respect
de la vie, ni la liberté de la femme, ni même, à la
limite, les besoins démographiques du pays qui sont
les facteurs de cette politique répressive et régres-
sive en matière de contraception. Une règle qui
n'est pas la même pour toutes se colore d'un
soupçon de racisme.

C'est que la politique coloniale française de ces
« pays lointains » est véritablement caricaturale.

Une démographie sauvage dans les D.O.M.
devient très vite un ferment explosif, et même révolutionnaire. Le sous-emploi, le chômage, comment
les résorber si on multiplie le taux des naissances par
2, 3, 10, au fur et à mesure que les années passent ?
N'oublions pas que, pour pallier cette crise endé-
mique, le gouvernement a choisi, au lieu d'industria-
liser le pays, au lieu de créer des emplois, d'importer
en France cette main-d'œuvre réunionnaise et antil-
laise. Le tout à bon marché et pour des emplois
subalternes que seule l'immigration accepte encore.

C'est tout le processus schématiquement expliqué
bien sûr, de ce que j'appelle le « pompage » colonial :
on pompe le pays de ses matières premières, on
l'oblige à importer tout ce qui est manufacturé et
l'on maintient de la sorte le carcan colonial.

Dès lors le sous-emploi et l'obligation de restreindre la démographie deviennent une nécessité
qui conditionne la survie du système.

Le planning familial en France[1] (350 centres,
1 500 médecins volontaires, tout un personnel
bénévole) avait tenté d'introduire, de répandre les
méthodes contraceptives. L'y a-t-on aidé ? Bien au
contraire. On apprend au moment du procès de

1. Avant la scission intervenue en juin 1973 et la démission
massive des médecins.

Bobigny, que M. Marcellin, ministre de l'Intérieur, refuse au planning familial la reconnaissance d'utilité publique. Reconnaissance qui aurait été bien utile, car elle aurait permis une action plus grande et procuré des moyens plus importants. Au lieu de cela et par la même occasion on a coupé au planning familial toute subvention, tout moyen de subsister.

Une contradiction donc, qui n'est pas le fait du hasard, entre la proclamation très haute, très forte, très sonore de la volonté officielle de libérer la contraception et de la rendre populaire et, en même temps, l'absence totale de mesures (pour ne pas dire l'existence de contre-mesures) pour favoriser la contraception.

Cette politique doit être jugée sévèrement. Le gouvernement est le seul qui ait moyens et pouvoirs pour répandre le plus largement possible la contraception, pour nous bataille essentielle.

Il est certain que si toutes les femmes pratiquaient la contraception, si toutes les possibilités leur en étaient données, si l'on conditionnait la conscience féminine à la prévention de la grossesse, le problème de l'avortement deviendrait un problème marginal. Je sais que d'aucuns prétendent que les femmes, consciemment ou inconsciemment, ont besoin d'avoir recours à l'avortement pour se rassurer sur leur fertilité[1] ! Je tiens pour ma part ces

___

1. En réalité, on constate que l'avortement est choisi comme instrument normal de maîtrise de la fécondité dans les pays où les pratiques contraceptives sont récentes et peu étendues (d'après *Population et sociétés*, I.N.E.D., 1985).

propos pour anecdotiques et nés d'observations de cas cliniques (névroses de certaines femmes) heureusement rarissimes et en tout cas quasi inexistants dans les masses.

Je pense que l'important pour une femme est d'abord de savoir, puis d'être persuadée, que la contraception est le meilleur moyen de disposer de son corps. Il appartient aux pouvoirs publics de faire en sorte que cette liberté essentielle, primaire, lui soit reconnue.

Un grand nombre de médecins, de pharmaciens, se révèlent être des adversaires acharnés de toute contraception, même quand la loi leur en fait obligation, tant elle est ambiguë et dépourvue de sanction.

Je me souviens du cas d'une amie, adhérente de *Choisir*, habitant Vichy, qui nous a téléphoné, un lundi, pour nous expliquer que la veille, le dimanche, elle avait tenté, étant à cours de pilules, d'en trouver. Il y avait deux pharmacies de garde. Dans la première, on lui a contesté la validité de son ordonnance, en lui disant : « Elle est périmée. » Dans la seconde, le pharmacien lui a claqué la porte au nez : « Désolé. Mais je suis contre ! »

Un exemple parmi tant d'autres de ce barrage énorme, existant dans la pratique et dans les esprits, contre la contraception.

La contraception est pourtant la meilleure dissuasion de l'avortement. La véritable liberté de choix.

L'information et l'éducation sexuelle

Ce que je ressens comme profondément injuste c'est l'absence de toute information sexuelle. Injustice plus flagrante à l'égard des femmes qu'à l'égard des hommes, compte tenu du prix qu'elles payent pour leur ignorance.

Qu'est-ce que l'information sexuelle ?

Selon les circulaires officielles qui introduisent cet enseignement dans les établissements scolaires à dater du 1er janvier 1974, l'information sexuelle est soigneusement dissociée de l'éducation sexuelle. L'information sexuelle est définie comme un enseignement scientifique sur le mécanisme de la procréation. Quant à l'éducation sexuelle, elle est vaguement incluse dans des « discussions » entre élèves et personnes « qualifiées », en dehors des heures de classe, bien sûr...

Nous continuerons donc de vivre sous l'empire de l'hypocrisie séculaire qui fait que l'on refuse de dissocier l'acte sexuel de la procréation. On perpétuera cette hypocrisie qui conduira à l'absence de véritable information sexuelle, ou, ce qui sera plus grave, à la délivrance d'une information fausse, truquée, à nos enfants.

Dans l'enseignement prévu, il sera question des organes génitaux, de la famille et de la procréation. On fera le silence sur la vraie sexualité : l'amour, le plaisir.

Il faut pourtant que les enfants sachent, que les

jeunes sachent, que les parents aussi sachent le plus
tôt possible que faire l'amour est un équilibre, un
besoin important pour certains, relatif pour
d'autres, mais qui fait partie de notre nature et que
cela n'entraîne pas pour autant à chaque fois l'obligation, la fatalité de procréer.

D'autre part, et j'insiste, faire un enfant doit être
absolument précédé d'une prise de conscience :
savoir qu'en faisant l'amour on peut avoir un
enfant, mais savoir aussi qu'on peut faire l'amour
parce qu'on aime faire l'amour. Sans plus.

Cela implique que l'enfant sache le plus tôt possible qu'il a un corps, comment il est fait, ses pièges,
ses ressources, le plaisir qu'il peut en tirer et qu'il
peut donner. L'information sexuelle complète cor-
respond d'ailleurs à un véritable besoin chez les
enfants. Il existe, chez eux, une espèce de tropisme
de leur propre vie, vers la vie et les manières dont
elle se transmet. Je crois qu'il ne faut à aucun prix
tricher, encore moins réprimer. Le silence est une
répression, le mensonge, l'histoire des choux, des
fleurs, sont des répressions.

Au cours d'une émission télévisée, consacrée à
l'éducation sexuelle, j'ai fait allusion à une péda-
gogie pratiquée dans les écoles danoises. Et j'ai
exhibé — au grand scandale de quelques-uns —
l'« objet », un jouet qui reproduit d'une manière très
linéaire, les corps de l'homme « Adam » et de la
femme « Ève ». Les enfants, en les manipulant, en
arrivent tout naturellement à les emboîter l'un dans
l'autre et à faire que le sexe de l'homme entre dans

l'orifice qui représente le sexe de la femme : exactement comme une prise de courant. Si l'enfant à partir de là pose une question on lui répond : « C'est ça l'amour, c'est comme ça que tu es né. » Mais on lui explique aussi, en termes simples, que le jeu de l'emboîtement, de la « prise » n'est pas fatalement et chaque fois source de procréation. Je crois que ce genre d'information bien dispensée est la plus naturelle qui soit, et qu'elle contribue à l'équilibre de la personnalité de l'enfant, du futur adulte.

Ce que je crains dans les programmes officiels d'*information* sexuelle, dont j'ai parlé plus haut, c'est que celle-ci, uniquement dirigée vers la procréation, n'ampute la sexualité, l'amour, de leurs dimensions fondamentales de liberté et de plaisir.

J'ai peur qu'elle ne se limite, comme déjà dans certains lycées, à une première leçon comportant l'étude des planches anatomiques, une 2e leçon consacrée à l'étude des maladies vénériennes et le tout baignant dans le refus traumatisant à parler du plaisir.

Les mots orgasme, plaisir, sont des mots tabous. D'ailleurs les tabous de la sexualité, d'une manière générale, sont tels que chaque progrès pour irréversible qu'il soit, fait l'objet d'une si grande résistance qu'il est limité au minimum.

Je me souviens de cette anecdote au cours d'un débat public : une femme, je crois qu'elle était assistante sociale, a raconté que, pas loin de chez elle, elle avait réussi à convaincre les parents d'une jeune

fille de seize, dix-sept ans, qui sortait un peu, que le
drame à éviter, c'était la grossesse, qu'il fallait en
parler à leur fille, et surtout utiliser un moyen de
contraception.

Ces parents, d'excellentes personnes, mais absolument bloquées par leur milieu, leur éducation provinciale, la religion, étaient convaincus du bien-
fondé de cette décision, de son urgence même, mais
ne pouvaient se résoudre à en parler. Le gros problème c'est qu'ils n'arrivaient pas à libérer la sexualité dans le langage, dans la communication avec
autrui et en particulier de parent à enfant. Malgré
tous leurs efforts, cela ne leur était pas possible.
Finalement convaincus qu'il fallait faire quelque
chose d'efficace et assez rapidement, ils ne parvenaient pas à franchir le pas le plus important
— parler à leur fille de contraception —, car c'était
admettre qu'ils savaient qu'elle pouvait faire
l'amour, qu'ils ne le condamnaient pas et qu'en ne
le condamnant pas, au contraire, ils lui donnaient
les possibilités de le faire. C'était une démarche
énorme, pour eux.

C'était, au fond, accepter officiellement l'existence d'un rapport sexuel dissocié de la procréation
et en dehors du mariage. C'était toute une révolution. Révolution qu'ils ne pouvaient pas faire.

Toujours est-il que ces parents ont pris la décision
suivante : « Notre fille est à protéger, elle prendra la
pilule, mais elle ne le saura pas. »

Moyennant quoi tous les soirs, on dissolvait la
pilule dans un bol de soupe, dans un aliment quel-

conque, un breuvage, et on le donnait à la jeune fille qui, donc, sans le savoir était protégée !

La sexualité

L'utilisation généralisée de la contraception exige que soit vécue par les femmes une sexualité en rupture avec toute l'idéologie dominante, idéologie essentiellement masculine.

En réalité s'il y a cette passion et ce clivage de l'opinion publique pour ou contre le droit de la femme de choisir ses maternités, c'est que ce problème, apparemment limité, implique la remise en cause des structures mêmes de notre société[1]. La bataille de *Choisir* on peut se la représenter comme un iceberg : la partie visible, c'est la contraception et le droit pour la femme d'avorter en cas d'échec de la contraception. Mais, au-dessous, là où se situe la plus grande partie de l'iceberg, se trouvent, mêlés les uns aux autres, étroitement liés comme une forêt de lianes sous-marines, la sexualité interdite, le plaisir, la famille monogamique et patriarcale, la libération de la femme, le rapport femme-homme, le travail de la femme à la maison, etc. Ce foisonnement explique que, lorsque le sommet de l'iceberg a émergé, les passions se sont déchaînées.

1. *Choisir* a organisé un colloque international à l'Unesco, en octobre 1979, sur le thème « Choisir de donner la vie » (Gallimard, 1979, collection « Idées »).

Or, parmi ces racines, la plus cachée, la plus secrète, la plus honteuse, c'est la sexualité, et qui dit sexualité dit vie, dit mort, dit plaisir, dit procréation. Questions essentielles et existentielles par excellence.

Reconnaître à la femme le droit de vivre librement sa sexualité c'est accepter, *ipso facto*, la dissociation de l'acte sexuel, la différenciation. Si la femme choisit ses maternités elle pourra faire l'amour pour avoir des enfants mais elle pourra aussi le faire dans une finalité de plaisir, uniquement.

Cela me fait penser à une anecdote récente : au Quesnoy, près de Valenciennes, Jacqueline Manicom, sage-femme des hôpitaux, et moi-même animions, au nom de *Choisir*, une conférence-débat. Notre invitation par le centre culturel avait provoqué dans la ville une petite révolution. Les opposants avaient écrit pour protester, distribué des tracts, démissionné du Centre. C'est dans cette atmosphère d'effervescence que nous nous sommes livrés au jeu des questions et des réponses. Les adversaires qui se considéraient comme investis d'une haute mission morale ont attaqué. Un journaliste d'abord.

Il se lève et m'apostrophe : « Vous ne pensez qu'à vous et pas à ceux qui n'ont pas d'enfants. Après tout, si vous ne voulez pas d'enfants, vous n'avez qu'à les abandonner à la naissance. »

Je trouve sa proposition scandaleuse et je le lui dis : « Les femmes ne sont pas des bêtes de reproduction, des réceptacles. Je ne ferai des enfants que pour les élever et les aider à devenir adultes. »

Quelque peu nerveux le journaliste me lance : « Vous n'êtes qu'une égoïste. » C'est à ce moment qu'un autre monsieur, dans l'ombre — nous le voyions à peine, aveuglées que nous étions, Jacqueline et moi, par les projecteurs — se dresse et, dans une espèce de hoquet violent, me jette : « Vous n'êtes qu'une bête de plaisir. »

Un peu suffoquée par l'attaque, je vais tenter d'y répondre quand Jacqueline se lève, gesticulant d'un bout à l'autre de l'estrade. Étrange spectacle que celui que nous donnions ! Nous étions en plein dans le feu des projecteurs. Et en colère. Nos gestes se projetaient, démesurément grandis sur le rideau de fond — un théâtre d'ombres chinoises où la vie et la liberté de la femme étaient en question.

Jacqueline, brandissant un doigt vengeur vers l'interpellateur, d'ailleurs effondré dans son fauteuil, lui lance : « Et vous, monsieur, qu'est-ce que vous faites quand vous faites l'amour ? Vous ne prenez pas de plaisir ? Hein ? Répondez ! Est-ce que vous n'êtes pas, vous aussi, une bête de plaisir ! »

C'est à ce moment que Bernard Vincent qui présidait le Centre culturel se pencha vers moi et murmura : « Elle ne sait pas qu'elle est en train de parler au curé ! »

La conception traditionnelle de la sexualité a toujours nié le droit au plaisir de la femme. On reconnaît à l'homme le droit de faire l'amour pour le plaisir. Cela fait même partie d'une imagerie d'Épinal : un homme coureur n'est jamais très mal vu, il est viril, et, comme disait ma mère : « C'est un homme, ma fille, il peut tout faire. »

Mais une femme qui revendiquerait le plaisir, quel scandale ! Nous n'avons qu'à reprendre nos classiques de littérature : il n'y a pas si longtemps, la femme qui avait du plaisir et qui en donnait, c'était une gourgandine, une courtisane. Aujourd'hui on dirait une putain. Quant aux « honnêtes femmes », elles n'en parlaient pas, elles ne revendiquaient pas, pour la seule raison qu'une honnête femme ne pouvait pas avoir de plaisir. C'était tout simple.

Du coup on imagine que tous les hommes devraient souhaiter cette libération sexuelle de la femme ! Eh bien, pas du tout ! il faudrait pour cela supposer le problème résolu et ne plus avoir à tenir compte des montagnes de tabous qui pèsent sur les hommes autant que sur les femmes.

Il m'a été donné d'entendre de curieuses confessions dans mon cabinet, dans le courrier que je reçois, de très étranges revendications, des aveux qui exprimaient une espèce de peur, d'angoisse de l'homme devant la libération de la femme. J'ai vu et entendu des hommes qui combattaient farouchement la contraception et, pour le faire, ils utilisaient une série d'alibis démographiques, patriotiques, philosophiques, religieux, que sais-je encore ! Et puis un jour un homme, acculé dans une discussion, s'est écrié brusquement : « Mais alors, si vous donnez à une femme le droit d'avoir la contracep-

tion et d'avorter, alors, cette femme va devenir comme un homme! Libre comme nous, les
hommes!» Certains hommes vont même jusqu'à
avouer, comme on confesse un lourd problème,
que, sans savoir pourquoi, ils ont moins de plaisir
avec une femme « contraceptée », donc protégée,
c'est-à-dire avec une femme sur laquelle ne pèse
plus la terrible menace de la grossesse-accident.

Dans ces conditions certains hommes se sentent
devenir moins virils. Il y a même eu des cas
d'impuissance totale. Pourquoi ?

Parce que l'hétérosexualité a, de tout temps, dans
un régime patriarcal, présupposé le rapport homme
dominant-femme dominée. Rapport d'ailleurs issu
directement de la dépendance économique de la
femme par rapport à l'homme et qui explique tout
le conditionnement des femmes dans leur
« approche » par l'homme. Séduction, narcissisme,
instituts de beauté, psychanalystes souvent... La
femme assume rarement sa sexualité comme l'aboutissement de son désir sexuel, de ses pulsions. C'est
la raison pour laquelle elle se trouve prise dans
l'engrenage séculaire : rechercher l'homme, lui
plaire, l'épouser, lui donner des enfants. La sexualité de la femme reste relative à celle de l'homme et
au système de la famille monogamique.

Parce que faire l'amour, pour beaucoup
d'hommes, est conçu comme un accomplissement à
l'intérieur d'un rapport de forces en leur faveur ; où
dominer pour eux c'est écraser et où la peur de la
femme, la peur d'être enceinte, la tension inhibi-

trice qu'elle ressent quand elle fait l'amour et qu'il y a le risque de la grossesse, joue comme un facteur d'aliénation à elle-même. Elle devient, presque étymologiquement, *l'objet*, le parfait objet du désir masculin. Elle ne sent rien, elle ne vibre pas, elle est toute à sa peur, et c'est cette *peur* de la femme qui agit quelquefois comme une excitation sexuelle pour l'homme. Au fond, dans ces préoccupations, il y a un peu cette crainte de voir échapper les derniers vestiges des ceintures de chasteté du moyen âge. La femme, complètement libre, protégée par une contraception, pourra choisir un partenaire, pourra en changer même ! En somme, tout comme l'homme !

Mais attention aux campagnes de presse qui se veulent modernes et apprennent très doctoralement aux femmes ce qu'est sexuellement une femme normale ! Par exemple n'est pas normale une femme qui ne fait pas l'amour 5 ou 6 fois par semaine, qui n'a pas eu tant d'orgasmes, etc. Autant de sottises, sources de déséquilibre et d'angoisse. Le plaisir physique, par définition, n'a ni règles, ni mesures, ni pratiques communes.

Je me souviens d'une émission à la radio-télévision belge, à laquelle je participais, après l'arrestation du docteur William Peers, pour les centaines d'avortements qu'il avait pratiqués. C'était une table ronde et le public posait des questions.

Je me souviens de la confession à voix basse d'une mère de famille qui brusquement s'est vu révéler, à travers ce que nous disions du droit au plaisir de la femme, un univers nouveau. Elle expliquait : « Moi, je vis avec des enfants, je vis avec un homme depuis un certain nombre d'années... je n'ai jamais eu ce plaisir... je ne crois pas avoir eu ce plaisir que vous décrivez... et pourtant je suis très heureuse, je me sens très bien. Alors, dit-elle en s'adressant à moi, alors selon vous, madame Halimi, pour exister totalement, pour jouir, en quelque sorte, je devrais quitter mon mari ? ou alors, lui dire que je vais essayer de prendre mon plaisir avec un autre partenaire ? » Ma réponse a été dans le sens que j'ai exposé plus haut, c'est-à-dire : « Ce n'est pas un problème que l'on résout suivant des recettes toutes faites ou collectives. Vous me dites avoir été jusque-là très heureuse ; si véritablement vous l'êtes et êtes bien dans votre peau, comme ça, je crois que c'est ce qui importe, ce qui est l'essentiel. »

Le psychiatre qui a pris la parole après moi a confirmé mon point de vue, en disant : « Si vous vous sentez bien, ne vous laissez pas abuser sur le plaisir, si vous vous sentez bien, c'est parfait, c'est le plaisir en somme... »

La véritable liberté sexuelle peut se définir de la même manière que la liberté tout court, c'est-à-dire dans le choix.

Les contradictions du monde moderne industriel, dur, inhumain, en même temps que la montée des luttes des femmes, font de plus en plus de la virilité un fardeau lourd à porter, pour l'homme. Il n'est plus toujours à la hauteur du mythe, et il en prend conscience. Cette défaillance devient pour lui une source d'angoisse.

La société de consommation tente alors de remédier au « malheur »... Comment ? Par des sollicitations extérieures nouvelles, artificielles : on imprime à gogo des revues soi-disant érotiques, des littératures pornographiques, on multiplie les sex-shops, les strip-tease, on invite aux partouzes. Et dans tout cela, la femme garde le rôle rassurant de l'objet, de la manipulée. Tentatives désespérées pour redonner du tonus aux phallus fatigués.

En est-il de même pour les femmes ? Non. Car précisément la femme n'a pas été élevée dans la perspective d'une sexualité dominante mais au contraire dominée. La femme n'a pas cette obligation de triomphe et de domination sous laquelle, de nos jours, l'homme ploie de plus en plus.

La famille

Quant à ceux qui opposent à la libération de la femme et de sa sexualité la nature et ses lois, j'ai un peu envie de leur répondre comme le professeur François Jacob :

« Il n'y a dans la nature que des phénomènes, ce sont les hommes qui font les lois. » Et ils font les lois comme on fait les superstructures. À partir de valeurs, d'une éthique et d'une esthétique qu'on reconnaît, à un moment donné du développement

d'une société, comme « vraies », comme « nécessaires », comme « justes ».

Il faut se méfier de l'argument « nature ».

Pendant des siècles l'esclavage a été considéré
comme naturel.

Les grands philosophes de l'antiquité n'ont vu
aucune anomalie à ce qu'une catégorie d'hommes
appartienne corps et âme à une autre catégorie
d'hommes. Aujourd'hui, de la même manière, pour
justifier l'oppression des femmes, on parle de loi
naturelle.

On a trouvé naturel l'esclavage des hommes mais
on trouve deux fois plus naturel l'esclavage de la
femme. « La femme, dit Bebel, est le premier être
humain qui ait eu à subir la servitude car elle a été
esclave avant que l'esclave fût. »

Dans la sexualité en particulier rien n'est naturel
et tout est naturel. L'acquis est cent fois plus fort
que l'inné. La finalité de la sexualité « naturelle » telle que nous la pratiquons, c'est le maintien
d'un certain ordre économique et social de cette
société.

Précisément, si l'on réprime la libre sexualité de
la femme c'est qu'on lui a attribué dans la société
contemporaine un destin : celui de la femme au
foyer et de la maternité. Et, pour qu'elle l'accepte
plus facilement, on a paré la maternité d'une
auréole. On fait de la famille un pilier, un refuge.
On noie tout cela dans un sentimentalisme pseudo-
populaire. On fabrique une imagerie attendris-
sante. En réalité, faire de la maternité un destin, une

fatalité, c'est favoriser la famille monogamique. La femme appartient au mari et aux enfants.

Les rédacteurs napoléoniens du code civil avaient déjà écrit dans leurs travaux préparatoires : « La femme est donnée à l'homme pour qu'elle fasse des enfants. Elle est donc sa propriété comme l'arbre à fruits est celle du jardinier. »

L'explication de ce système est purement et simplement économique. On considère en effet que le travail de la femme à la maison, c'est-à-dire la cuisine, les tâches ménagères les plus abêtissantes, les plus aliénantes, celles qui vous coupent de la réalité, vous enferment, que ces tâches-là n'ont pas de valeur d'échange. Et pour que tout cela se perpétue, que la femme continue à être dans la famille ce que Engels appelle « la première servante », il faut qu'elle soit écartée de la production sociale. On la maintient donc au foyer en lui expliquant cette nécessité par des raisons affectives.

Voilà à quoi la famille a servi et comment elle opprime la femme.

L'homme au forum, la femme au foyer. En la rivant à des tâches aliénantes et non rémunérées on s'assure d'une manière presque certaine de sa complète dépendance.

Engels démontre très bien qu'en maintenant la femme au foyer on la maintient non seulement dans une exploitation de classe — car elle est productrice d'une plus-value non reconnue dans le système économique actuel — mais aussi dans une exploitation spécifique : « Dans la famille l'homme est le bourgeois et la femme le prolétaire. » Il est clair que la famille est nécessaire à la fois pour perpétuer le système et pour le justifier. Le rouage essentiel de cette oppression reste la procréation.

Ce qui caractérise ce type d'organisation familiale c'est le rapport d'autorité : celle du mari sur la femme, celle des parents sur les enfants.

Cette hiérarchie, père puis mère en haut, enfants en bas, apparaît comme éminemment répressive pour la femme et les enfants. Le grand propriétaire c'est l'homme, c'est lui qui a le pouvoir de décision, puisqu'il a le pouvoir économique.

De nos jours cette famille est conservée vaille que vaille pour servir de soupape de sécurité : pour que grâce à l'affectivité dans laquelle elle baigne, l'humanité n'explose pas au contact de ce monde glacé, qui est le nôtre.

Dès qu'il s'agit de la famille la discrétion est, de tous les côtés, extrême. Curieux comme la gauche oublie ses classiques à certains moments ! L'analyse la plus complète de la famille a cependant été faite par Engels. « L'affranchissement de la femme a pour condition première la rentrée de tout le sexe féminin dans l'industrie publique. À son tour cette condition exige la suppression de la famille conjugale en tant qu'unité économique de la société. »

Voilà qui est clair : la famille peut subsister, on peut lui laisser son contenu affectif mais il faut absolument qu'elle perde tout son contenu répressif. Pour cela il faut supprimer l'autorité patriarcale[1] et tous les rapports de possession qui caractérisent la famille.

Je prétends que la dépendance économique de la femme (ou de l'homme mais c'est l'exception) nuit à la relation sexuelle du couple.

Je prétends qu'une femme économiquement indépendante donne et reçoit plus de plaisir qu'une femme entretenue, que ce soit par le mariage ou autrement. Car, avoir par soi-même, comme l'homme, d'une part le sentiment de son « importance économique et sociale », quel qu'en soit le niveau, d'autre part la certitude d'un choix possible face à l'échec ou à la rupture, donne à l'individu une sorte d'homogénéité, de plénitude.

Faire l'amour est alors un acte libre, un plaisir égal, partagé, donné-reçu, sans dieu ni maître... D'autant plus intense et vrai qu'il ne devra rien à ce « roman de chevalerie... souillé par la sordide histoire des robes et des baisers, par la domination d'argent de l'homme sur la femme ou de la femme sur l'homme... » qu'a si bien dénoncé Aragon[2].

---

1. Aujourd'hui, l'autorité paternelle est remplacée par l'autorité parentale (lois du 4 juin 1970 et du 22 juillet 1987).
2. *Les Cloches de Bâle*, Éditions Gallimard.

CHAPITRE VI

GRENOBLE

Voilà une belle épine que les gendarmes d'Eybens, avec une très grande bonne foi, avec le sens du devoir qui anime encore certains gendarmes de campagne, ont brusquement plantée dans les talons du ministère de la Justice. L'affaire de Grenoble ce fut une nouvelle occasion de faire progresser notre bataille. Que s'est-il passé ?

Le 8 mai 1973 à 6 heures du matin, dans l'appartement qu'occupent le docteur Annie Ferrey-Martin, son mari et ses deux enfants — cinq et sept ans —, les gendarmes font irruption. Il paraît qu'il s'agit d'un flagrant délit d'avortement. Bien entendu, tout le monde dort et personne n'avorte personne. L'affaire a été déclenchée par la plainte d'un maçon italien qui vient d'apprendre que sa fille, âgée de dix-huit ans, a une liaison qui dure depuis un an ou deux avec un autre monsieur italien, marié, âgé de quarante-deux ans et il apprend, par-dessus le marché que sa fille étant enceinte, sa mère l'a fait avorter grâce à *Choisir*.

Plainte en détournement de mineure : le père italien ne badine pas avec son honneur et veut à tout prix châtier le coupable.

Interrogée, la jeune fille décrit avec précision les circonstances dans lesquelles elle a pu se procurer l'avortement. Adresse du planning familial. Nom du médecin qui lui donne l'adresse de *Choisir*. *Choisir* la reçoit et l'envoie dans un centre. Centre qui se trouve par hasard dans l'immeuble qu'habite le docteur Annie Ferrey-Martin. Avortement « Karman ». Avortement, il faut bien le préciser, que le docteur Annie Ferrey-Martin n'a pas pratiqué.

Curieuse amitié qui nous unit, Annie Ferrey-Martin et moi. Très proches l'une de l'autre, avant même notre rencontre...

Il y a deux ans, j'étais venue me reposer dans la région de Grenoble, et j'avais lu dans *le Dauphiné libéré* qu'un groupe de femmes et de médecins avait décidé de constituer un comité pour l'abrogation de la loi de 1920. Je m'étais aussitôt renseignée auprès des journalistes : qui étaient ces médecins ? Qui étaient ces femmes ? J'avais le plus grand souhait de les rencontrer, pour coordonner leurs actions avec celles de *Choisir*, qui venait de naître. Et de la liste qu'on m'avait donnée, un peu par hasard et un peu parce qu'il s'agissait d'une femme médecin, j'avais choisi de contacter Annie Ferrey-Martin.

Je téléphone donc le soir. Son mari décroche, demande mon nom, crie à sa femme :

— Annie, c'est Gisèle Halimi !

J'ai alors entendu Annie répondre :

— Tu te fiches de moi !...

— Je t'assure...

Ce n'est que le lendemain, quand nous avons déjeuné ensemble, que j'ai compris la raison de son incrédulité. Elle était venue me voir, avec sa fille âgée de cinq ans. L'enfant portait le nom de Djamila, en souvenir de l'héroïne algérienne odieusement torturée que j'avais défendue. J'avais écrit un livre à son propos[1]. Son histoire tant en France que dans le monde entier avait soulevé une grande émotion et avait contribué à la fois à faire connaître les procédés odieux de la répression coloniale, durant la guerre d'Algérie, et la lutte très exemplaire des femmes algériennes engagées dans la résistance.

Annie avait lu le livre en 1962 et avait décidé d'appeler sa fille Djamila. Par la suite elle n'avait jamais cessé de suivre ce que je faisais parce qu'elle sentait instinctivement que tout ce que je faisais répondait bien à ce qu'elle entreprenait et voulait entreprendre.

Voilà ma rencontre avec Annie qui, je dois le dire, m'a beaucoup marquée. C'est la raison pour laquelle je parle d'amitié bizarre, étrange. Car Annie, militante féministe de gauche comme moi, s'est trouvée faire à Grenoble ce que moi, parallèle-

---

1. *Djamila Boupacha*, préface de Simone de Beauvoir, Éditions Gallimard. Réédition 1991.

Cf. aussi le *Lait de l'oranger*, chapitre VIII : « le Castor ».

ment je faisais à Paris avec *Choisir*, sans que nous nous soyons concertées. À partir de là, adhésion du groupe de Grenoble à *Choisir*. La « section » de Grenoble était née.

Annie est donc mise en garde à vue, ce qui, comme chacun sait, peut durer vingt-quatre heures, quarante-huit heures. La garde à vue exclut toute possibilité pour le « suspect » de recevoir la visite de son avocat ou de sa famille. C'est la mise au secret. Un état intermédiaire entre la liberté et la détention. L'arbitraire en somme.

Dès que j'apprends, quelques heures après son arrestation, qu'elle est entre les mains de la gendarmerie d'Eybens, je remue ciel et terre, je téléphone au Parquet général de Grenoble, à un de mes confrères de Grenoble, le professeur Givors, pour qu'il se mette immédiatement en rapport avec le procureur et le juge d'instruction et qu'il obtienne la possibilité de communiquer avec elle.

Je téléphone au ministère de la Justice, au directeur du cabinet du ministre. Et je me souviens de sa surprise quand je l'ai apostrophé : « Qu'est-ce qui arrive ? Vous arrêtez Annie Ferrey-Martin, maintenant ? » La machine est en marche et il devient juridiquement très difficile de la stopper. J'obtiens seulement que la collaboratrice de maître Givors, ainsi que Monique Mignotte, une de nos amies, adhérente de *Choisir* et avocate, puissent s'entretenir dans les locaux de la gendarmerie avec Annie...

J'avais transmis à cette dernière mon message : qu'elle parle, qu'elle dise pourquoi elle s'est engagée dans cette action, qu'elle ne dissimule rien, et qu'elle explique le sens de notre bataille commune. En somme, je voulais, d'accord avec elle, élaborer la défense de *Choisir*.

Les gendarmes, eux, s'obstinent. Ils ne veulent pas entendre parler de *Choisir*, mais uniquement de l'avortement pratiqué sur cette jeune Italienne. Annie répond qu'elle ne peut pas parler d'un avortement qu'elle n'a pas fait, mais qu'elle va parler des autres, dont elle est responsable :

« Je suis médecin-anesthésiste. J'ai vu des femmes mourir des suites d'avortement parce qu'elles s'étaient livrées au premier avorteur venu. J'ai décidé qu'il serait lâche de ma part de continuer de militer à *Choisir* et dans le même temps de renvoyer les femmes qui se confiaient à moi. C'est pour cela qu'avec une équipe de médecins et d'étudiants en médecine j'ai décidé de pratiquer des avortements, dans les meilleures conditions possibles pour les femmes. »

Déclarations explosives en vérité. Car Annie, du coup, n'est plus seule en cause. C'est toute l'équipe de Grenoble qui a enfreint la loi. Et derrière elle l'association *Choisir* tout entière, puisque c'est sous sa responsabilité que ces avortements ont été entrepris.

L'inculpation d'Annie Ferrey-Martin a soulevé en France, à Grenoble comme à l'étranger, en Angleterre, en Belgique, en Italie, aux USA, une extraordinaire émotion. On sentait que la bataille entrait dans une phase nouvelle, que nous franchissions un pas nouveau et menions la lutte sur tous les fronts.

Cette affaire se déroulait dans le cadre de la légalité et il fallait une bataille légale, jusqu'à épuisement. Il fallait faire la preuve que la légalité bourgeoise, qui ne cesse d'être violée par la bourgeoisie elle-même, est impuissante à maîtriser la montée irréversible d'une revendication populaire et publique. En cela nous différons fondamentalement de certains extrémistes, gauchistes et spontanéistes. Le temps de la démonstration fait partie de nos moyens.

Tenez, je pense à la guerre d'Algérie, à ces batailles politiques que j'ai menées à la barre du Tribunal. Pour les mener j'ai accepté de vêtir ma robe d'avocat, j'ai accepté, le code pénal et la déclaration des droits de l'Homme à la main, de démontrer que le gouvernement français violait le tout, alors qu'il devait être le gardien à la fois de nos lois et de nos principes. J'ai pu établir ainsi, qu'acculé à se défendre, le système n'hésitait pas à violer sa propre légalité : en mettant en place des juridictions d'exception, en acceptant d'ériger la torture en système, etc.[1]

Il fallait donc entrer et descendre dans cette arène, même si l'arène était le cadre construit par

1. Cf. *Le Lait de l'oranger*, chapitre IV : « *Algériennes* ».

les oppresseurs pour protéger la légalité bourgeoise. Nous avions à combattre à la fois de l'intérieur et de l'extérieur. Comme à Bobigny si l'on
veut. Mais avec un pas de plus, illégal celui-là.
Quelque chose du genre : « Nous sommes un certain
nombre de médecins, d'étudiants en médecine, qui
connaissons la méthode Karman, dite par aspira-
tion ; et quelles que soient les peines prévues, sûrement sévères, nous continuerons d'avorter les
femmes qui viennent à nous. »

Je répète, cela dit, qu'il n'a jamais été question
pour nous d'aider à avorter tout le monde et
n'importe qui. Les femmes qu'Annie Ferrey et ses
camarades de Grenoble ont avortées, étaient des cas
sociaux, des cas psychiques flagrants. C'était la
jeune fille violée. C'était la femme d'émigré épuisée
par dix-huit grossesses. Celle qui vient déclarer très
calmement : « Si on ne m'avorte pas, moi, je me tue,
parce que ma vie n'a plus de sens, je ne peux pas
aller plus loin, j'estime que ma vie, ça suffit... »

Nous ne pouvions nous dissimuler qu'un nouveau pas important était franchi. Il devenait nécessaire de définir les perspectives de lutte et les
limites que nous devions nous assigner. Les perspectives : l'élargissement du combat, la sensibilisation
de l'opinion publique. Les limites : la définition
exacte de l'acte médical que constitue l'avortement ;
la formation de médecins et d'étudiants en médecine ; le contexte hospitalier à prévoir.

En France, les manifestations se sont multipliées. Télégrammes, pétitions, lettres. Localement *Choisir* prend des initiatives efficaces et spectaculaires. Par exemple, à Reims, nos adhérents réussissent à mobiliser quelque 200 à 300 personnes. Massées devant la mairie, elles demandent à être reçues par le maire, M. Taittinger (alors ministre de la Justice, garde des Sceaux). Une délégation réussit à remettre un texte émanant non seulement de *Choisir*, mais aussi d'un certain nombre d'organisations de gauche, qui demande l'arrêt de toutes les poursuites engagées contre Annie, exige l'abrogation immédiate de la loi de 1920 et la promulgation d'une nouvelle loi.

À Grenoble : immense manifestation de rue. Le lendemain, nous donnons une conférence de presse à la Bourse du Travail. Le groupe *Choisir* explique comment il en est venu à pratiquer des avortements et quelle formation il a donnée à ses médecins : voyages en Angleterre, stages d'étude de la méthode Karman, etc.

La conférence de presse va se terminer quand brusquement un jeune homme, chevelu et barbu, étudiant en médecine (j'ai su par la suite qu'il était un des militants spontanéistes de Grenoble) prend le micro et lance : « *Choisir* vous invite, vous qui êtes dans la salle vous, messieurs et mesdames les journalistes, tous ceux qui voudront, à voir un avortement demain soir à 23 heures, au siège de *Choisir*. L'avortement sera public... »

Annie et moi sommes atterrées. Évidemment,

nous ne sommes pas au courant. Les journalistes présents se précipitent vers nous. « Que pensez-vous de cela ? *Choisir* est-il d'accord ? Organiserez-vous d'autres avortements publics ? » Sur l'instant nous restons hébétées, et ce n'est que le lendemain que nous publierons un communiqué, pour faire le point.

Nous y indiquons très clairement que nous désavouons l'initiative, que *Choisir* n'en a jamais été informé, et que notre association ne pouvait en aucun cas se considérer comme engagée dans une telle aventure. Quelles que soient les intentions des responsables, l'idée est absolument contraire, par principe, par nature, à notre démarche.

L'avortement est un acte qui n'est pas anodin. C'est un acte responsable, sinon grave. Il ne peut, même par provocation, être donné en spectacle, ni faire l'objet d'une publicité de ce type. À moins justement de vouloir nuire à l'intégrité physique, morale, psychologique et à la dignité de la femme.

Lorsque j'ai entendu ce militant appeler à participer nombreux au spectacle — comme à la foire — qu'offrirait une femme, les jambes écartées en train de se faire avorter, je me souviens que mon premier réflexe, et Annie a eu le même, a été de dire : « Mais c'est une idée d'homme ! »

Cela ne veut pas dire que, dans ce combat plus que dans tous les autres, je ne reconnaisse pas quelquefois la nécessité de la provocation et du scandale pour faire éclater certains faits autour desquels l'opinion publique ronronne, inconsciente. On

nous a dit, et on a eu raison de nous dire que
notre manifeste des 343 femmes était scandaleux.
Je continue de considérer que cette initiative était
excellente et qu'elle nous a beaucoup aidées dans
notre combat. Mais il y a des cas où la provocation finit par desservir la cause qu'elle croit
défendre...

Je ne suis pas sûre d'ailleurs que nos militants de
Grenoble, un peu excités, n'aient pas puisés leur
idée chez Karman lui-même. Il avait en effet
annoncé un jour qu'il avorterait désormais « en
série ». Plusieurs dizaines de femmes à la fois. Et il
avait envoyé des cars pour collecter les candidates à
l'avortement.

Quelle ne fut pas la stupéfaction de ces femmes et
leur indignation, en constatant que, dans les pièces
où elles devaient être avortées, étaient placées en
évidence des caméras de télévision ! Elles question-
nent Karman. Il leur répond que l'avortement doit
se faire en public, qu'il va être télévisé pour des centaines de millions de téléspectateurs américains. Et
la majorité des femmes, bien qu'enceintes, bien
qu'angoissées, bien que déterminées à se faire
avorter, ont repris immédiatement le chemin du
retour... Beaucoup ont déposé des plaintes. Et des
procès, je crois, sont en cours.

Karman, quels que soient, par ailleurs, ses
mérites, n'a rien compris, s'il croit que nous faire
avorter en public peut faire avancer notre cause.
Il n'a pas compris qu'au contraire, c'est la pervertir,
la dévoyer. Et je préfère ne pas analyser les moti-

vations troubles de certains de nos avorteurs
« publics », un peu violeurs, un peu voyeurs...

Décidément, dans notre marche en avant, il aura
fallu redresser bien des erreurs... Et le combat n'est
pas fini...

Les centres d'orthogénie

À *Choisir* nous organisions, comme on dit,
l'« accueil » des femmes. Nous répondions à des
centaines et des centaines de demandes d'avortement. Des femmes nous écrivaient, se présentaient
à nos permanences. Bien sûr, nous ne pouvions les
aider que d'une manière très relative. En essayant
de parler, de connaître leurs raisons, leur milieu.
Mais c'était cependant très important, on prenait
conscience concrètement de leur immense détresse.
Caractéristique commune de ces femmes : elles
appartenaient à un milieu socio-politique extrêmement défavorisé. Des femmes d'ouvriers, des
femmes d'émigrés, des bonnes à tout faire espagnoles ou portugaises, des employées de bureau,
des étudiantes sans ressources. Par le dialogue,
nous leur apportions, je crois, une certaine aide
morale. Nous leur donnions des adresses, pour la
plupart à l'étranger : Angleterre, Pays-Bas, Suisse.
Mais nous nous trouvions souvent confrontées à
cette réalité : elles n'avaient même pas l'argent du
voyage !

Nous en sommes arrivées alors à nous poser la

question : ne fallait-il pas organiser en France des centres pour leur venir en aide ?

Puis les choses se sont précipitées : l'affaire de *Choisir* à Grenoble, l'arrestation d'Annie Ferrey, la proposition de loi du parti socialiste à l'Assemblée, le 16 mai 1973, dépôt suivi de très près par le projet de loi gouvernemental le 6 juin... Il fallait faire quelque chose. L'idée de la création de centres d'orthogénie a ainsi pris corps.

Un centre d'orthogénie, qu'est-ce que c'est exactement, et que voulons-nous en faire ?

Ce ne peut, en aucun cas, être l'avortoir de M. Lejeune, c'est-à-dire un endroit « spécialisé » où les femmes se feraient avorter par n'importe qui et dans n'importe quelles conditions. Ce ne peut pas être non plus un centre comme celui de Grenoble qui, trop artisanal et trop coupé de la population, ne pouvait que sombrer dans l'échec.

Voici ce que l'on doit pouvoir trouver dans un centre d'orthogénie :

— pratique et dispense de l'éducation sexuelle,

— pratique et dispense de la contraception gratuite,

— pose de stérilets,

— distribution de pilules,

— consultations et ordonnances gratuites,

— formation de praticiens (enseignement de la méthode Karman aux étudiants en médecine et au personnel paramédical).

Une partie du centre doit être réservée à l'accueil des femmes par d'autres femmes. Pour apprendre à se raconter, à parler de soi-même, de ses problèmes liés à la sexualité...

J'ajoute que ces centres ne doivent fonctionner que sous la responsabilité d'un médecin. Constitués en associations de la loi de 1901, ces centres seront administrés par des représentants des municipalités concernées, de *Choisir*, et de toutes les organisations représentatives qui voudront y participer. Chaque centre sera présidé par le maire de la ville. L'interruption de grossesse n'y sera pas pratiquée au-delà de la 10e semaine. Et les femmes qui s'adresseront à nous pour un avortement et que nous avorterons, ne repartiront qu'avec une ordonnance de contraception.

On pratiquera donc des avortements. Mais lesquels ? Et combien ? Il est clair que la création des centres d'orthogénie ne peut avoir comme but de répondre à toute la demande. Pour une raison d'abord politique. Il ne nous appartient pas de nous substituer aux pouvoirs publics, de pallier la carence gouvernementale. Notre propos est d'apporter la preuve concrète de cette carence, d'établir qu'elle est criminelle, de développer une bataille qui, justement, y mettra fin. Et puis aussi, il faut reconnaître que nous sommes de toute évidence dans l'impossibilité pratique de répondre positivement aux 700 000 ou 800 000 femmes qui se font avorter en France chaque année.

Nous choisirons donc d'avorter les femmes dont

la détresse est la plus grande, les plus démunies, celles qui n'auront pas les moyens de se rendre à l'étranger ni de payer un avorteur ou un médecin. En bref, les « cas sociaux » les plus criants.

Il s'agira bien entendu d'avortements parfaitement illégaux. Avortements que la loi gouvernementale, si elle était votée, continuerait de sanctionner. D'autant que nous reconnaîtrons, *attesterons*, nous être mis en infraction. Et être décidés à continuer. Le gouvernement devra donc choisir : nous poursuivre, ou renoncer déjà à appliquer sa belle loi flambant neuve.

La question essentielle, nous l'aurons ainsi posée : « Ces femmes que nous aurons avortées dans nos centres et que votre loi n'autorise pas à avorter, que comptez-vous en faire ? » Nous aurons fait ainsi une démonstration capitale : à savoir que les cas sociaux, les plus nombreux, et les plus dignes d'intérêt n'auraient pas été pris en considération par le projet de loi officiel. Nous démontrerons aussi que la loi une fois votée pourrait bien connaître le même sort que la loi de 1920 : rejetée par tous, caduque.

Une loi de 1973, ou de 1974 : et cependant, déjà, mort-née...

CHAPITRE VII

L'ALIBI

Pour justifier l'opposition absolue à l'avortement, on fait très souvent appel à un certain nombre d'arguments qui se fondent sur le postulat suivant : l'être humain commence à la fécondation, à la rencontre du spermatozoïde et de l'ovule, donc à la formation de l'œuf.

Si l'on considère que le zygote, c'est-à-dire la première cellule différenciée née de la fusion de l'ovule et du spermatozoïde, est le commencement de l'être humain, alors il ne faut pas s'arrêter en si bon chemin ; il faut décider que l'ovule tout seul, le spermatozoïde tout seul, ne sont pas, logiquement, moins importants que la cellule qui naît de leur rencontre. Dès lors, au nom du respect de la vie, il conviendrait de condamner l'abstinence et la masturbation qui sont deux actions qui portent directement atteinte à la vie humaine !

Soyons sérieux : cette idée de la fécondation liée à

l'origine de l'être humain n'est ni juste, ni populaire, ni légale, ni même logique. C'est une notion
qui se rattache — qu'on l'avoue ou non — à des
principes religieux. La plupart des religions ont
condamné l'avortement. La plus virulente, la plus
radicale en ce domaine est l'Église catholique.

Pour bien étayer le dogme selon lequel l'homme
est là, tout entier, dès la fécondation, une note doc-
trinale sur l'avortement a été publiée en 1971 par
cette Église. Elle développe deux arguments : la
continuité et la destination.

L'argument de continuité : il présente un intérêt
particulier, car, à la réflexion, nous n'avons rien à y
objecter. Il va tout à fait dans le sens de ce que, à
Choisir, nous essayons de faire entendre.

Nos adversaires disent que « la science ne connaît
pas de seuil qualitatif qui ferait passer l'embryon du
non-humain à l'humain ». Fort bien. Le professeur
Jacob, Prix Nobel de médecine, n'a jamais dit autre
chose. Au procès de Bobigny, il a précisé : « La vie
ne commence jamais, elle continue. Il n'y a pas de
moment privilégié, pas d'étape décisive conférant
soudain la dignité de personne humaine ; il y a une
évolution progressive, une série sans faille de réactions et de synthèses par quoi se modèle peu à peu
le petit de l'homme. La personne humaine n'apparaît pas à un moment précis, pas plus que le jour qui
se lève... »

Notre divergence d'avec nos adversaires, est sur

l'interprétation que l'on peut faire de cette continuité. Nous allons, pour notre part, jusqu'au bout
de la logique. Puisque nous ne savons pas quand
commence la vie, évitons de raisonner à partir
d'une incertitude et recherchons plutôt ce qui peut
être tenu pour certain.

Quelle certitude avons-nous en l'état actuel de la
science ? La seule certitude que nous ayons c'est
que, avant vingt-quatre semaines, le fœtus détaché
de la femme n'a aucun espoir de survivre. À la
maternité de Port-Royal les spécialistes disent
même : aucun espoir en deçà de vingt-sept à vingt-
huit semaines.

Voilà une certitude qui n'est contredite par
aucun médecin, aucun professeur, aucune personnalité scientifique.

Ce que nous savons également, ce dont nous
sommes sûrs, c'est que du point de vue du droit, du
point de vue de la déclaration de naissance à l'état
civil, « le fœtus est présumé naître enfant à partir du
180e jour ». C'est l'interprétation jurisprudentielle
unanime de l'article 56 du code civil. Il dit bien
« ... à partir du 180e jour ». Ce qui signifie qu'avant,
il n'y a pas de vie civile, pas de sujet de droit... que le
fœtus, autrement dit, n'est pas un être humain.
J'ajoute à cela, et ce n'est pas négligeable non plus,
qu'un meurtrier qui tue une femme enceinte est
accusé d'un meurtre, *et non de deux*...

Au fond, tout ce que nous entendons prouver
c'est qu'il faut distinguer entre *évolution* et *spécifica-
tion*. Nos adversaires éludent le problème : puis-

qu'on ne sait pas quand commence l'être humain,
eh bien, il commence à la fécondation. Nous, au
contraire, nous essayons de poser la question
essentielle : bien sûr, un œuf humain donne un
homme, et non une algue ou un poisson. Mais à
quel moment au juste va-t-il *devenir* cet être
humain ?

J'admire beaucoup l'assurance de ceux qui peuvent trancher un débat vieux comme le monde, sur
lequel bien des laïcs et bien des clercs se sont pen-
chés et qui reste ouvert. Et je crois qu'il y a au fond
de leur attitude une espèce de terrorisme biologique, puisqu'ils dénient aux autres le droit de
trouver à la vie une dimension autre que celle qu'ils
lui attribuent. Terrorisme biologique doublé d'un
délire au niveau du langage. Car enfin il y a des assi-
milations qui me paraissent proprement intoléra-
bles : une interruption de grossesse n'est pas, ne
peut pas être, un « assassinat »... La cellule née de la
rencontre du spermatozoïde et de l'ovule n'est pas,
ne peut pas être, un « enfant »... Il y a derrière ces
mots une véritable escroquerie !
    Moi, je crois surtout que la vie ne commence pas,
qu'elle est commencée depuis 3 milliards d'années,
et qu'il n'y a pas de moment privilégié, de saut qualitatif où, brusquement, un déclic décisif confère à un
fœtus la dignité de personne humaine.

La pierre de touche de l'affaire, c'est évidemment la définition de la vie. Je ne peux pas, sur ce point, me prétendre plus savante que les professeurs Jacob et Monod, tous deux Prix Nobel de médecine, ou que Jean Rostand, biologiste incontesté. Mais voici toutefois quelques indications, quelques repères, moins pour trancher le débat que pour le clarifier.

Tout se joue, je crois, autour de l'idée d'« autonomie ». Si le fœtus que je porte en moi était expulsé, d'une manière provoquée ou naturelle, et si en dehors de mon propre corps il n'avait aucune possibilité de vie, eh bien, je considérerais certes qu'il y a un potentiel de vie humaine qui ne s'est pas actualisé, mais je préciserais aussitôt qu'il ne pouvait pas le faire hors de moi, qu'il n'était qu'un prolongement de mon propre corps, et qu'il s'est agi d'un bout à l'autre d'une affaire *entre moi et moi*. Si en revanche ce même fœtus a quelque chance de survivre et de vivre hors de moi, alors on peut estimer qu'il est autonome, et qu'il *est*, déjà, une vie humaine.

Tout la question est donc, je le répète, de savoir où commence l'autonomie.

Pour la science et même pour la loi, l'autonomie du fœtus, ce n'est pas le tracé de l'électro-encéphalogramme mais la présence d'un mouvement rythmique respiratoire. En droit pénal, c'est la respiration qui sert à faire la discrimination entre l'infanticide et l'avortement. Une femme qui se fait avorter à huit mois peut n'être poursuivie que pour avorte-

ment si l'autopsie détermine que les poumons du
fœtus n'ont jamais respiré...

Il y a aussi l'autonomie biologique, la possibilité
pour le fœtus de se nourrir et d'éliminer. Possibilité
qui, d'après les savants du monde entier, n'existe
pas avant la vingt-quatrième semaine.

Il y a encore l'autonomie circulatoire qui est provoquée par la section du cordon ombilical.

Et il y a enfin l'autonomie du système nerveux. À
une question que je lui posais à ce propos, le professeur Lejeune[1] a bien été obligé de me répondre que
les cellules nerveuses ne faisaient leur apparition
qu'au cours de la troisième semaine de grossesse.
Entre l'apparition de quelques cellules et l'autonomie de tout un système il y a le temps pour la vie
humaine de se mettre en place !

Quant au cerveau, tout le monde sait que la loi a
autorisé le prélèvement d'organes sur des êtres
vivants, mais vivants d'une vie végétative. Leur
électro-encéphalogramme est plat. Légalement
donc, puisque le cerveau est privé de sa fonction, il
n'y a plus ou il n'y a pas encore d'être humain.

Je n'insiste pas. Tous les savants sont unanimes.
L'autonomie, c'est-à-dire la possibilité de remplir,
par son propre organisme, les fonctions de circulation, d'élimination, de respiration, n'existe pas
avant vingt-quatre ou vingt-six semaines.

---

1. Pour lequel la France a cessé d'exister en 1789 ! (propos rap-
porté par F. Giroud).

L'autre argument de nos adversaires est *l'argument de destination* : Le fœtus appartient, par son origine, par sa relation avec la femme qui le porte, par sa finalité même, au monde des relations humaines. Peut-être. Encore convient-il de définir ce qu'on appelle la relation, la fin, la vie, la naissance, le monde des relations humaines...

Si la naissance est un acte volontaire, de choix, de liberté, de responsabilité, alors oui ! Nous sommes dans le cadre de la destination. Je veux un enfant, je le fais, je suis heureuse de l'avoir. Le processus est entamé, je l'attends, je l'accueille, il fait partie, dès ce moment-là, du monde des relations humaines. Mais cet argument est absolument faux dès lors que la femme refuse la perspective de la finalité. Au cours d'une grossesse non désirée, il y a une absence totale, un refus radical de relation entre la naissance et la vie.

À la limite, dans ce contexte, il y a peu de différence entre l'embryon d'une femme qui refuse la grossesse et un embryon *in vitro*. Humainement parlant, il n'y a pas d'enfant parce qu'il n'y a pas de relations. Il n'y a pas de *vie* chez l'embryon parce qu'il n'y a pas de *désir* chez la mère.

Affirmer, comme le font les intégristes de tous bords, que l'œuf est, en soi, un être humain, revient à nier toute importance au développement *in utero*, au processus de l'« acquis » et, paradoxalement, à nier la finalité elle-même. Considérer une cellule, dès la fécondation, comme une vie humaine, cela revient, comme l'a dit le pasteur Dumas, à substituer le concept de vie au concept de Dieu, à déifier en quelque sorte la vie et, en fin de compte, à tomber dans le paganisme...

La thèse intégriste est, curieusement, sous-tendue d'un matérialisme vulgaire, qui réduit l'être humain à sa seule dimension biologique, niant totalement toutes les autres données (psychiques, sociales, etc.) et les interactions de ces données.

Au fond, la croyance catholique de l'existence d'une âme dans le fœtus, dès sa conception, est directement inspirée d'Aristote. Encore qu'il faille signaler la distinction savoureuse faite par l'Église — par saint Thomas — entre le sexe des anges : le fœtus, selon saint Thomas, possède une âme à partir du quarantième jour de la gestation... s'il est de sexe masculin. S'il est de sexe féminin, il devra attendre quatre-vingts jours pour « s'animer ». Ce supplément d'âme qui a toujours fait défaut aux femmes, en somme...

Revenons à ce problème des enfants non désirés. C'est un grave problème, dont on fait bon marché, et sur lequel nos adversaires sont, en général, discrets. Connaître les motifs d'une demande d'avortement est essentiel. Motifs conscients sûrement, mais aussi largement inconscients. Il y a, comme l'a dit le professeur Debré, une sorte de réflexe qu'on peut assimiler à la légitime défense. La revendication de vie, un « cri de vouloir-vivre ». La femme veut défendre sa propre vie, contre une agression. Et il y

a un paradoxe scandaleux à nier cet appel de vie de
la femme, au nom précisément du respect de la vie
du fœtus. Demandez donc autour de vous : le plus
important, c'est quoi ? Un fœtus ou une femme qui
se suicide parce qu'elle ne veut pas de ce fœtus ?...

Songez à tous les avortements naturels qui se produisent quotidiennement, à tous les fœtus « légaux »
qu'on fait disparaître avec les ordures, dans les
hôpitaux, sans que l'Église songe même à leur admi-
nistrer les sacrements... Pensez-vous que ce sont des
vies qui finissent ?

Une femme qui se jette par la fenêtre en criant
qu'elle ne veut pas de l'embryon qu'elle porte et un
fœtus expulsé, est-ce pareil ? Quand on entend ce
cri, qui ose se boucher les oreilles ? On contraint la
femme à aller jusqu'au bout de l'échec : dans sa vie,
dans son vouloir, dans sa responsabilité. Et on
l'oblige ainsi à mettre au monde des enfants non
désirés[1].

Tous les spécialistes l'attestent : c'est parmi ces
enfants-là qu'on trouve le plus de caractériels et de
psychotiques. Pour une raison toute simple : il y a
en général, chez la mère qui ne désire pas une grossesse, le refus d'accoucher d'un enfant mort : car un
enfant dont on ne veut pas est, inconsciemment,

---

1. Ceci n'a rien d'abstrait. Au moment où j'écris ces lignes
(octobre 1973) j'apprends qu'une femme vient de se noyer dans
une mare, près de Louviers ; elle était enceinte pour la huitième
fois... Une autre est morte, dans la même région, après avoir
tenté de se faire avorter avec une aiguille à tricoter...

désiré mort. L'enfant né dans ces conditions désirera toute sa vie être désiré. Bien mauvais départ puisque sa mère l'avait inconsciemment tué en formulant, ouvertement ou non, une demande d'avortement ! Blessés avant même d'avoir subi les blessures de la vie. C'est parmi les enfants non désirés que se recrutent les débiles, les narcissiques, ceux que la docteresse Dolto appelle des « mammifères humains ».

On connaît les deux attitudes classiques des mères qui se sentent coupables d'avoir désiré l'avortement sans y être arrivées, sans l'avoir formulé, et qui vont au bout d'une grossesse qu'au fond d'elles-mêmes elles rejettent violemment : la répression ou la surprotection. L'une ou l'autre de ces attitudes développe chez l'enfant une agressivité, une pathologie, qui sont exactement le contraire de ce que nous souhaitons pour l'enfant que nous mettons au monde librement.

Alors, pour ceux qui ne sont pas croyants et qui, comme moi, estiment ne pas avoir à discourir sur l'existence ou la non-existence de l'âme, je dirai que la véritable « âme » pour le fœtus c'est de naître, de progresser et d'évoluer dans le désir de l'autre, dans l'amour de la mère. Un être humain, ce n'est pas seulement une créature biologique. Être un être humain, c'est aussi *être accueilli*. C'est vrai pour les adultes. C'est encore plus vrai pour l'enfant qui naît. Avoir sa place avant de naître c'est cela la dimension nécessaire de l'humain et c'est à cet aspect humain là, que j'attache le « respect » dont on parle tant. Donner la vie sans la joie de l'amour, sans que ce soit une réponse de la mère, consciente ou non, à l'appel de la vie, ce n'est plus donner la vie ; c'est précipiter l'enfant que l'on porte dans un désert affectif.

Si l'Église catholique rejette absolument l'avortement et s'installe dans une position sans nuances, c'est au nom du fameux commandement : « Tu ne tueras point. »

Cette affirmation du respect de la vie n'a de sens qu'intangible. Dans tous les domaines et à toutes les époques de l'humanité. Elle est donc difficilement conciliable avec le fait que l'Église d'hier comme celle d'aujourd'hui accepte le principe de la guerre. Je n'ai pas le souvenir non plus qu'elle ait jamais protesté au nom du principe « Tu ne tueras point » lors des grands massacres de l'histoire. Je pense au grand massacre relativement récent des juifs dans les crématoires hitlériens. Je n'ai pas le souvenir que l'Église, avec la force qui s'attachait à l'autorité du Vatican, ait tenté d'arrêter ce véritable génocide.

Un recueil paru aux Presses du Vatican nous apprend que durant son pontificat, de 1939 jusqu'en 1944, Pie XII a écrit 124 lettres aux évêques allemands. Sur ces 124 lettres, 3 seulement mentionnent les juifs, l'horrible massacre qui se perpétrait et les persécutions dont ils étaient les victimes. Le tout en style anecdotique.

Aucune de ces lettres ne comportait une réponse

à la question angoissée que lui posait l'évêque de
Berlin, Monseigneur von Preysing, à propos du cha-
noine Lichtenberg qui, parce qu'il s'était déclaré
solidaire des juifs victimes de la déportation, et
l'avait dit publiquement en chaire à la cathédrale de
Berlin, avait finalement partagé le sort des juifs.
Déporté et mort en camp de concentration.

Il est évident que cette abstention dans une
période des plus barbares, bien que récente, de
notre histoire suffit à condamner et à démentir le
caractère absolu de l'interdiction de l'avortement.

Quoi qu'il en soit, je le répète, la loi civile n'a pas
à recouvrir une loi religieuse ou une loi morale. Ce
qu'il faut dénoncer dans ce magma métaphysique
que l'on voudrait scientifique et que l'on appelle le
respect de la vie, c'est une monstrueuse hypocrisie
qui laisse délibérément de côté la dimension du vrai
problème de l'avortement. Tous ceux qui se battent
pour le respect de la vie d'un zygote, d'un fœtus, ne
respectent en rien la vie de celle qui est porteuse
d'ovule, porteuse de vie. De la femme.

Monstrueux péché par omission !

Ce que nous respectons le plus à *Choisir*, c'est justement le respect de la vie. Le respect de la vie de la
femme et sa liberté autant que le respect de la vie de
son enfant. Et c'est ce qui nous distingue de tous les
faux humanistes de « Laissez-les vivre ».

Du reste, je précise une fois de plus que nous
nous battons aussi, et peut-être d'abord, pour la

contraception et l'information sexuelle. Nous savons pertinemment qu'un avortement même bénin peut avoir des conséquences néfastes pour de futures naissances, s'il est trop souvent répété. Et le professeur Alexandre Minkowski, de la maternité de Port-Royal, qui fait partie du comité de recherches de *Choisir*, a pu indiquer que le taux des naissances des prématurés ou handicapés allait croissant selon que la femme avait avorté plus ou moins fréquemment. Des chiffres :

— 10,1 pour les femmes qui n'ont jamais avorté,
— 14,4 pour les femmes qui ont avorté une fois,
— 16 pour les femmes qui ont avorté 2 fois,
— 20,5 pour les femmes qui ont avorté 3 fois.

Voilà des pourcentages qui donnent à réfléchir. J'estime que ne pas vouloir tenir compte de ces éléments c'est se désintéresser véritablement de la santé de la femme et des enfants qu'elle aura plus tard, si elle le désire. Nous ne sommes pas des irresponsables.

L'argument nataliste

Certains de nos détracteurs poussent en avant l'argument démographique : si on permet l'avortement, la démographie française va connaître une chute vertigineuse, la courbe de natalité aussi et le pays sera en danger. C'est un argument totalement inacceptable.

Choquant et immoral d'abord car il ne tient

compte que des besoins matériels de croissance et
de survie d'un pays. Il réduit la femme à un rôle de
reproduction pour des fins sociales, économiques et
militaires pour lesquelles elle n'a pas été consultée
et que, souvent, elle réprouve.

Contestable de plus. Il n'y a, en effet, aucun rapport, aucun lien de cause à effet entre une loi
répressive de l'avortement et une hausse ou un
maintien à un certain niveau de la courbe démographique, et *vice versa*.

Un exemple simple : l'U.R.S.S. Avant la révolution d'Octobre la répression de l'avortement y était
absolue. Après la révolution une législation libérale
a été promulguée. Puis est venue une période où
l'avortement était réglementé. Enfin, en ce moment,
l'U.R.S.S. est revenue à la liberté de l'avortement. En
examinant la courbe de natalité correspondant à ces
périodes on constate qu'elle a toujours le même
mouvement régulièrement descendant.

Pourquoi ? Parce que chaque fois que l'industria-
lisation d'un pays fait des progrès, chaque fois que
le niveau de vie, de civilisation et de culture d'un
pays s'élève, le taux de natalité décroît. C'est une loi
générale. Pour parler plus simplement je dirai que
dans les pays dits « civilisés » on a moins d'enfants
que dans les pays sous-développés où la démographie est galopante.

En France, où nous avons le privilège de posséder
une des législations les plus répressives, les plus
moyenâgeuses du monde, est-ce que la démographie monte en flèche ? Non, il y a tout au plus une

certaine stabilisation et, certaines années, une régression du taux de natalité[1].

En jetant un regard comparatif sur les taux de natalité des pays à législation libérale et des pays à législation répressive, on remarque qu'ils sont sensiblement les mêmes.

Ainsi, le taux de natalité en 1971 était :
— au Japon, de 19,2 ;
— en Yougoslavie, de 18,2 ;
— en U.R.S.S., de 17,4 ;
— aux U.S.A., de 17,3 ;
pays où l'avortement est libre.

Alors qu'au même moment, le taux de natalité était :
— au Canada, de 17,2 ;
— en France, de 17,2 ;
— en Italie, de 16,2.
Étant entendu que dans ces trois pays, la législation sur l'avortement est particulièrement répressive[2].

En France, aujourd'hui, l'argument nataliste peut

1. Et, depuis la libéralisation de l'avortement en 1975, le nombre annuel d'I.V.G. a peu varié. Si, de 1976 à 1980, le nombre officiel est passé de 134 000 à 171 000, c'est à cause de la diminution progressive des avortements clandestins et de l'amélioration de l'enregistrement. De 1981 à 1984, le nombre est resté très voisin de 180 000 et il baisse régulièrement depuis 1985 (I.N.S.E.E., *Données sociales*, 1990).

2. Depuis, certaines législations ont changé : voir pages 271-275 en annexe le tableau des législations en vigueur aujourd'hui, dans les différents pays.

être interprété comme un argument capitaliste. Une démographie en hausse dans un pays industrialisé, c'est l'espoir d'une main-d'œuvre à bon marché. C'est la possibilité, pour ceux qui détiennent les moyens de production, de choisir le moins coûtant, celui qui vendra sa force de travail le moins cher. C'est la loi classique de l'offre et de la demande sur le marché de l'emploi que la loi, les conventions collectives, le S.M.I.C., atténuent à peine. Surtout en province et dans les petites entreprises.

C'est aussi l'espoir de donner satisfaction à *Minute* et de favoriser la très dangereuse recrudescence du racisme en France : « Dehors les Algériens... Halte à l'immigration. » Si les Français font des tas de petits Français, on pourra peut-être se passer de la « pègre » des travailleurs immigrés... qui sait ? En admettant que la nécessité de peupler la France s'impose vraiment, il restera à mettre en place les conditions objectives qui persuaderont les femmes de faire des enfants. C'est tout le problème de la législation sociale — multiplier les crèches, les équipements sociaux — que je soulève là et, avec lui, celui du droit au travail et du droit pour la femme d'exister comme un être humain à part entière. Libre et responsable.

En réalité, à triturer tous ces arguments — fatras serait un terme plus proche de la réalité — je ne peux m'empêcher de penser encore à la guerre d'Algérie...

Un des colonels qui présida le plus longtemps les Tribunaux militaires spéciaux d'Alger, qui couvrit le mieux de son silence et de son zèle répressif cette gangrène que fut la torture, qui eut le privilège « Au nom du peuple français... » de prononcer le nombre le plus élevé de condamnations à mort de militants F.L.N., ce colonel donc, finit par terminer son temps. Il revint en métropole bronzé, heureux, glorieux. Devoir accompli. Restait à reconnaître ses services. Cela valait une citation. Ce qui fut fait en ces termes : « A su, durant ces années difficiles, apporter aux musulmans éprouvés le réconfort de la justice française. » L'humanisme et la torture...

Le « respect de la vie » et le crime d'acculer la femme à l'aiguille à tricoter !

CHAPITRE VIII

DYNAMIQUE DES LUTTES DES FEMMES

La lutte des femmes est l'événement le plus important de cette fin de siècle. Parce qu'elle remet en cause le schéma classique de la lutte contre l'oppression, donc le schéma dit marxiste.

Schéma classique car c'est celui qu'a consacré une bonne partie de la tradition. La tradition des docteurs et des scoliastes. Des marxistes de la chaire et des socio-démocrates. En gros : puisque la lutte des classes est le moteur de l'histoire, seules les classes constituées ont le droit et le devoir de lutter ; puisque la contradiction principale se situe entre bourgeois et prolétaires, seul le prolétariat peut être à l'avant-garde du combat. Et si certains — les femmes par exemple — avaient des velléités de luttes autonomes, il faudrait les dénoncer comme *alliés objectifs* de l'adversaire, dominés par l'idéologie petite-bourgeoise.

Je précise cependant : schéma dit « marxiste », parce que Marx, je crois, n'a jamais raisonné de la sorte. Pas plus d'ailleurs qu'Engels ou que Lénine.

Pour qui sait lire les textes, l'analyse des classes n'a jamais nié l'existence d'une oppression spécifique des sexes. Ni implicitement, ni explicitement. Il y a une lutte des classes ; il y a aussi une lutte des sexes. Ainsi l'ouvrière est opprimée en tant que prolétaire d'une part ; et en tant que femme de l'autre. Autrement que l'homme par conséquent, et peut-être même davantage. Oppression redoublée si l'on veut, dont une analyse de classes simpliste ne peut en aucun cas rendre compte.

C'est en comprenant les choses ainsi qu'on rend au marxisme toute sa valeur d'explication totalisante. Le marxisme ne doit-il pas rendre compte de toutes les formes d'oppression et en démonter le mécanisme ? S'agissant de la famille, Engels ne fait rien d'autre, en écrivant : « La première oppression de classe qui se manifeste dans l'histoire coïncide avec le développement de l'*antagonisme entre l'homme et la femme dans le mariage conjugal, et la première oppression de classe, avec l'oppression du sexe féminin par le sexe masculin.* » Les choses sont un peu moins simples que voudraient nous le faire croire les « spécialistes » ès marxisme...

D'autant qu'il faudra un jour tirer enfin les conclusions de l'échec relatif des révolutions de type « soviétique[1] ». Il faut bien admettre que le seul changement des rapports de production n'a guère

1. Échec bien réel en 1991 !

suivie d'une révolution culturelle. Et que, pourtant,
sans révolution culturelle authentique, les femmes
resteront prises dans la trame séculaire de leurs
dépendances et de leurs aliénations...

J'ai bien conscience d'aborder là un point particulièrement délicat. Et j'entends d'ici mes détracteurs
me taxer de « sexisme petit-bourgeois ». L'objection
est classique : nous isolons les femmes de la masse
des exploités ; nous brisons la solidarité proléta-
rienne et encourageons des luttes fractionnelles ;
comme l'idéologie libérale, de concert avec elle,
nous contribuons à ce fameux « effet d'isolement »
dont parlent les marxistes dans le vent...

Je connais la musique. Et ma réponse est simple.
Simple et surtout *politique*. Oui, il y a une exploitation commune aux prolétaires femmes et hommes ;
et à cette exploitation commune, c'est vrai, il faut
répondre par une lutte commune. Mais, s'ajoute à
cela, pour les femmes qui travaillent, un coefficient
de surexploitation ; c'est pour le faire disparaître
qu'il faut déclencher des luttes spécifiques ; des
luttes qui ne contredisent pas la lutte commune,
mais qui la prolongent et *l'enrichissent*. Et c'est cela
le féminisme tel que je l'entends. La synthèse des
deux luttes. À mener de front contre l'oppression
de classe et contre l'oppression de sexe. Disons,
pour faire vite, que le capitalisme est responsable
certes de la majeure partie de nos maux, mais qu'il
n'en est pas l'unique responsable.

De la même manière, on peut dire que le passage au socialisme est à nos yeux une condition nécessaire, mais en aucun cas suffisante[1].

Il faut bien reconnaître qu'en U.R.S.S., dans les démocraties populaires, en Chine même, les femmes n'ont *jamais* accédé au pouvoir politique dans les mêmes proportions que les hommes. Le socialisme étatique a reconduit les vieux schémas...

Combien de femmes dans le Politburo du P.C.U.S. (parti communiste d'U.R.S.S.) ? À la tête de la République chinoise ? Ou, simplement, dans les partis, qui, en France doivent, dans leurs méthodes, dans leurs structures, dans leurs fins, préfigurer la société de demain, sans classe et sans discrimination à l'égard des femmes ?

Bureau politique du parti communiste : dix membres ; une femme. Secrétariat national du parti socialiste : onze membres ; pas une seule femme[2].

Il en va de même de tous les groupes et groupements d'extrême gauche. Au lendemain de mai 1968, beaucoup de femmes se sont engagées avec ferveur dans la lutte gauchiste. Certaines qu'elles étaient que leur action au sein de ces mouvements allait leur permettre de prendre des responsabilités, d'agir, de faire disparaître, en même temps que

1. Le colloque que *Choisir* a organisé à l'UNESCO, en 1983, « *Féminisme et Socialismes* », en a fait la démonstration (sous le titre *Fini le féminisme ?*, Gallimard, 1984, collection « Idées »).
2. En 1991, dans les instances exécutives de ces deux partis, il y a : 4 femmes sur un total de 22 membres au parti communiste, et 5 femmes sur un total de 27 membres au parti socialiste.

l'injustice de classe, celle dont était victime leur sexe.
Hélas... Il fallut déchanter... et dresser le bilan...

Elles avaient été tout simplement priées de
s'occuper de tâches diverses, telles que distribution
de tracts, confection d'enveloppes, et aussi, comme
toujours, préparation des repas, du café, nettoyage
du local. Toutes tâches classées uniformément
comme « militantes ». Au même titre que la rédaction des éditoriaux, la prise de parole publique.
Mais, celles-ci, destinées uniquement aux hommes...
Ils pensaient, eux... Bref, ils s'annexaient, en véritables impérialistes qu'ils étaient, le véritable pouvoir.
Celui de la décision. Celui de l'analyse théorique et
de l'élaboration de la « praxis » révolutionnaire.

Oppression de sexe. Qui oserait nier son existence au nom de prétendues analyses marxistes ?

Un point important cependant : s'il est vrai que la
libération des femmes est pour Marx, Engels,
Lénine, Gramsci, Rosa Luxemburg même, *une exigence objective* de lutte, elle n'est jamais envisagée
comme nécessitant *une solution particulière*, parce
que n'étant pas un problème séparé. Tous ont
semblé admettre qu'elle devait découler tout nor-
malement de la suppression des classes. Qu'elle
devait en être le corollaire immédiat. Aujourd'hui,
riches de l'expérience qu'ils n'avaient pas et qui est
la nôtre, nous nous devons de réfléchir. Et
d'orienter nos luttes en conséquence.

Pour extirper la racine même des structures
répressives qui pèsent sur la femme, même socialiste, un autre combat est nécessaire.

Au fond, j'en viens à me demander si le schéma révolutionnaire classique est encore valable pour notre temps. S'il faut attendre, pour engager ce combat antirépressif, que les partis de gauche ou d'extrême gauche aient entamé le « passage au socialisme ». Et s'il n'est pas temps, finalement, de repenser la vieille filière marxiste-léniniste : révolution culturelle *après* la révolution politique...

Là encore, j'entends gronder les gardiens de l'orthodoxie. Mais il est bon de se souvenir qu'aucune révolution du passé n'a fait l'économie d'une inversion de ce type. Qu'aucune révolution triomphante n'a fait l'économie d'une hérésie. Lénine contre Kautsky : c'est le primat de la révolution politique sur la révolution économique. Kautsky voulait refaire 89 ; Lénine réussit octobre 17... Mao contre Staline : primat de la campagne sur la ville. Là encore Staline prétendait *répéter* une recette éprouvée ; Mao par contre ne craignait pas d'*innover*.

Chaque fois, par conséquent, les hérétiques ont gagné. Alors pourquoi pas aujourd'hui, une fois de plus ? Pourquoi ne pas mettre en question une chronologie sacrée de l'ordre des luttes ? Pourquoi ne pas poser, au moins comme hypothèse de travail, le primat possible de la révolution culturelle sur la révolution politique ? Les luttes les plus exemplaires de ces cinq dernières années vont précisément dans ce sens (prisons, immigrés, racisme). Et si la lutte des femmes, en poursuivant dans cette voie, réalisait la mutation décisive ?...

Plusieurs éléments, dans l'évolution des sociétés occidentales, me paraissent fonder et justifier cette inversion.

Je vois d'abord que le rapport hommes/femmes est le creuset où se forgent les structures de domination. C'est en ce sens qu'on peut dire que les luttes des femmes les dépassent, c'est-à-dire qu'elles peuvent déboucher objectivement sur une libération totale.

Par ailleurs, je ne suis pas sûre que le capitalisme soit toujours comme au temps de Marx, un capitalisme libéral à dominance économique. Nous sommes peut-être en train d'assister à un déplacement historique de la dominance : de l'économique — qui garde son rôle déterminant — vers le politique et vers le culturel. Le capitalisme actuel ne serait-il pas en train de devenir un capitalisme technocratique à *dominance* idéologique ?

Référence rapide — comme toutes ces réflexions — à l'analyse marxiste contemporaine qui définit une classe sociale comme l'effet, sur les rapports sociaux, des trois structures économique, politique, idéologique : l'oppression des femmes pourrait être un *effet pertinent*[1] de l'instance économique au niveau idéologique et culturel, et la question du primat de la lutte des femmes un problème de *dominance*. Je n'énonce aucune théorie ; dans ce recueil de propos ce ne serait en tout cas pas le lieu.

---

1. Cf. Nikos Poulantzas, *Pouvoir politique et classes sociales* (Maspero).

Je pose simplement des questions. Et je continue de chercher.

Si je parle de « libération totale », c'est que les femmes ont, selon moi, une vocation révolutionnaire globale.

Car la femme qui cumule les oppressions, bien que surexploitée, peut avoir une vision d'ensemble des luttes. Moins par une quelconque prédestination, qu'en vertu d'un phénomène structurel : le déplacement de dominance que j'indiquais à l'instant. C'est parce que la lutte idéologique/culturelle est plus que jamais à l'ordre du jour, que les femmes peuvent en un sens être à l'avant-garde du combat.

Je ne crois pas, cela dit, qu'il en soit ainsi partout et toujours. Dans les pays « en crise », la stratégie, la priorité des luttes de femmes peuvent être différentes. Grandes grèves nationales, révolutions, guerres d'indépendance, luttes populaires, paroxysmes... Dans ces brèches, faites de violence et d'histoire, les femmes font un bond fantastique en collant seulement à l'événement.

Je pense par exemple à la guerre d'Algérie, à la résistance du peuple vietnamien à l'agression des États-Unis, luttes dont j'ai été plus ou moins directement le témoin.

Durant la guerre d'Algérie, les femmes, sans avoir sollicité l'accord de quiconque, ont brûlé leurs voiles et les préjugés ancestraux sur l'autel de la révolution. Elles sont devenues « moudjahidins[1] », infirmières, agents de liaison, terroristes. En l'espèce, l'attitude classique eût consisté à demander à certaines d'entre elles — considérées par les hommes dans leur inconscient plus comme des putains que comme des héroïnes, de faire du renseignement. Mais quelques Mata-Hari ou Marthe Richard n'ont, en rien, fait avancer la cause des femmes ! Au contraire.

Dans les djebels et dans les casbahs, les Algériennes ont manié les fusils, les grenades, le bistouri... De retour du maquis, elles ont expliqué, cartes et crayons en mains, la stratégie militaire, l'organigramme... La veille encore soumises au patriarcat le plus féodal, elles se sont retrouvées dormant fraternellement aux côtés d'autres maquisards, montant avec eux la garde. La lutte avait, en quelque sorte, asexué les militants, hommes et femmes.

Il est symptomatique, pour moi, que Djamila Boupacha[2], arrêtée après plusieurs années de lutte dans les maquis et dans les villes, soit demeurée, jusqu'à l'abominable viol par ses tortionnaires paras, vierge ! La lutte, au-delà de la différence et de l'attirance des sexes, soudait hommes et femmes. L'homme était stupéfait de découvrir chez la femme l'aptitude d'être révolutionnaire à part entière. Il en oubliait la nécessité de *prévaloir*, dans la lutte comme dans l'amour... Et la sublimation aidant...

---

1. Maquisardes.
2. Héroïne de la résistance algérienne. (Cf. *supra,* p. 171.)

Lorsque je suis allée au Viêt-nam, en tant qu'expert du tribunal Russel[1], le Viêt-nam du Nord montrait des blessures béantes. Vinh, Tanh Hoa, Quinh Lap... Ruines éventrées. Hôpitaux pleins à craquer de civils. Léproserie détruite. Les bombes des B 52, le napalm, les gaz défoliants.

Les femmes — j'allais dire « comme un seul homme » (c'est terrible, les clichés !) — s'étaient alors dressées pour se battre. La production ? à 80 % les femmes. La D.C.A. ? L'administration des régions ? L'enseignement ? Les femmes étaient partout. Courageusement, naturellement. Comme si elles avaient toujours été présentes et aux postes de commandes. Un jour, la commission d'enquête que je dirigeais était arrivée, par petites étapes nocturnes, dans un centre de la région de Nghe An. Le guide vietnamien m'avait simplement dit : « Là, vous pourrez interroger les responsables de la défense civile et de la commission administrative. » Nous étions aussitôt accueillis par un groupe d'une quinzaine de personnes dont trois femmes. Jeunes, belles, précises. Respectivement responsable militaire, responsable administrative et directrice de l'hôpital régional.

La vie de ce morceau de pays en guerre reposait donc sur ces six épaules féminines. Le « phéno-

---

1. Cf. *Tribunal Russell, Stockholm, Copenhague, nov. 1966-déc. 1967*, Gallimard, 1967-68, 2 vol., collection « Idées ».

mène », l'« anomalie » ne nous avaient pas été
signalés. À aucun moment, d'une manière ou d'une
autre, les Vietnamiens ne m'avaient préparée au
« coup » pour bien le marquer. « Chez nous, pas de
discrimination, pas de différence. Nous les consi-
dérons *comme* des hommes, *comme* nous. » Rien de
tout cela. Elles n'étaient pas considérées *comme*...
Elles *étaient*. Et cela ne méritait même pas d'être
signalé. Cela allait de soi. Plus de clivage entre les
sexes parce que disparition du clivage dans les
esprits. Le changement radical des mentalités. Les
femmes sont là. Ça va de soi. Rien à signaler en
somme.

Mais après ces périodes bouleversées, s'amorce le
plus souvent, hélas, une régression. Les hommes
reviennent à leurs schémas ancestraux, patriarcaux.
On fait savoir aux femmes, qu'il leur faut retourner
au couscous et à la procréation. Mais l'irréversible
est acquis. Les femmes, qui ont soulevé le couvercle
pesant d'une vie confinée entre quatre murs, ont
pris conscience d'une indépendance. Elles sont
mûres pour de nouvelles luttes. Elles se sont inté-
grées, en priorité, aux luttes nationales. Elles ont eu
raison. Elles ont de toute manière progressé.

Djamila Boupacha est mariée, mère de trois
enfants. Elle pratique la contraception. (Elle est
membre « étranger » de *Choisir*). Elle est la proche
collaboratrice du ministre du Travail, et déléguée
dans les commissions préparatoires des congrès

F.L.N.[1]. Son mari, ancien maquisard aussi, est loin d'être acquis à cette émancipation et les heurts entre eux ont été nombreux. Qu'importe ! Elle a refusé le retour à la cuisine et imposé son choix de vie. Elle prend des responsabilités dans la marche de son pays. Elle va de l'avant.

Ces cas sont, hélas, exceptionnels. Dans toutes les voies de passage au socialisme, on devrait trouver des femmes. Et non pas seulement comme force d'appoint ou comme majorité silencieuse. Mais à tous les niveaux. Et surtout aux postes responsables. C'est la raison pour laquelle, entre autres, je m'entête à dire que les femmes doivent se mettre au travail, s'intégrer à la production, quel que soit son type.

Je sais que ce n'est pas une position très populaire. Pour la femme d'ouvrier accablée par les tâches ménagères, on estime, en général, qu'on ne peut lui demander davantage. Et cela semble évident. Pourtant l'ouvrière, pour dur que soit son chemin, s'engage dans une stratégie de luttes globales. Elle ressent, en prise directe, l'aliénation. Elle y participe en la subissant. Et plus clairement qu'une femme au foyer, même pauvre, elle voudra la combattre. Contraintes, double journée de travail, sueur et larmes ? Certes. Mais seule voie possible — porte étroite — pour monter aux premières

---

1. Front de Libération Nationale : parti unique algérien.

lignes. Attendre que l'homme, seul, nous libère de l'oppression de classe, qu'il nous octroie la société socialiste est dangereux. C'est le cadeau empoisonné. Sans formation politique, sans expérience des luttes, sans insertion dans cette dynamique, les femmes se retrouveront socialistes peut-être, mais toujours opprimées, sûrement.

En travaillant à l'extérieur, même si son travail est aliénant, la femme échappe à la solitude, à l'isolement, au ghetto de ses quatre murs. Même éprouvant, le travail l'ouvre au monde réel. Monde de l'aliénation certes, mais aussi de l'action et de la décision...

Du coup d'ailleurs, les rapports de la femme au monde réel se modifient radicalement. Voyez la femme au foyer. Véritable schizophrène coupée du réel et repliée dans l'imaginaire. Pour réagir à son enfermement, elle se bâtit un contre-univers. Pour se défendre contre son exclusion, elle se fabrique un monde à elle. Un monde fait de rêves et de fantasmes. D'illusions et de fausses valeurs. Un monde qui a son langage et sa logique. Indéfiniment parallèle au monde vrai et à ses drames...

On comprend mieux, je pense, pourquoi j'insiste tant sur la nécessité du travail féminin. C'est que la sécession est finalement l'outil le plus solide de la domination des femmes. Que leur contre-univers, loin de contester celui des hommes, contribue à sa survivance et à son pouvoir. Et qu'il faut, impérativement, briser cette clôture maléfique. Rompre avec la dépendance économique, source de toutes les autres.

La vie quotidienne, elle aussi, est un champ de lutte essentiel. Et, je vous prie de le croire, il ne s'agit pas d'une petite bataille. Il me paraît fondamental, par exemple, que la femme mariée garde son nom[1]. Quand une femme prend le nom de son mari, en général, elle en prend même le prénom ! Elle va vers la phagocytose... Elle finit par disparaître.

Des amies de lycée m'ont écrit à la suite des derniers combats que nous avons menés. Je n'ai pu reconnaître que celles qui, mariées, avaient pris soin de faire suivre le nom du mari, devenu le leur, de leur nom de jeune fille. Et entre parenthèses, comme par symbole ! Mme Pierre Durant (Jeanne Duval) !... Ce n'est pas une simple convention, c'est important. La femme qui prend le nom (et le prénom) de son mari se sent une nouvelle identité ; elle fait mue volontairement. Elle se glisse dans une nouvelle peau, perd sa peau originelle. Elle est dans celle de son mari. Et on vit toujours très mal dans la peau d'un autre !

Se présenter à tous les concours, mais refuser de le faire à ceux qui mentionnent « concours hommes » et « concours femmes ». Et même atta-

---

1. En annexe, p. 290 : la proposition de loi que j'ai déposée à l'Assemblée Nationale, en 1984, sur les *noms patronymiques*.

quer en justice l'État, l'Administration, l'entreprise, à l'origine de telles compétitions ! Il y a violation de la loi et de la Constitution qui proclame l'égalité des sexes. Question de principe certes, mais débouchant immédiatement sur une discrimination dans les faits. Une lauréate d'un concours *femmes* sera sous-qualifiée par rapport au lauréat d'un concours *hommes* ou mixte.

Exiger que l'égalité des salaires hommes-femmes soit une réalité et non un principe moral, abstrait. Le traité de Rome (art. 119) c'est bien. La loi du 21 novembre 1972, c'est mieux.

Il reste que deux « smicards » sur trois sont des femmes (moins de 800 F par mois), que les procédés tels que sous-qualification, refus d'embauche sont couramment employés pour faire échec à la loi[1]. Heureusement, les femmes aujourd'hui se révoltent. C'est la grève du Joint français : 600 femmes sur 900 grévistes ont déclenché, mené, dirigé la grève et gagné. C'est la grève des Nouvelles Galeries à Thionville où les femmes sont allées jusqu'à se battre physiquement contre les C.R.S. Et plus loin de nous, l'admirable grève qui a eu lieu en Belgique... Il n'empêche que certains employeurs professent encore qu'ils ne peuvent engager de

---

1. Aujourd'hui, malgré la nouvelle loi sur l'égalité professionnelle du 13 juillet 1983 (cf. p. xxi), il subsiste un écart de 35 % entre le salaire moyen des hommes et celui des femmes, et le taux de chômage des femmes (12,8 %) est près du double de celui des hommes (7 %) (*Rapport d'information,* par Yvette Roudy. Assemblée Nationale, n° 1161, décembre 1989).

femmes parce que, femmes, elles sont instables, changeantes et même insupportables au moment de leurs règles !

Pour briser la clôture où l'enferme l'homme, la femme doit aussi dénoncer l'image d'elle-même qu'il lui renvoie.

On me pose souvent la question : la femme doit-elle refuser de plaire ? À quoi je réponds toujours que si plaire signifie pour une femme qu'elle doit accepter de devenir la grande consommatrice de tous les produits et de tous les moyens fabriqués pour faire d'elle un objet, en même temps qu'une excellente manière de renouveler les marchés, je dis non. Non au narcissisme. Une femme qui plaît ne passe pas inévitablement par les instituts de beauté. Il y a selon moi une grande séduction chez la femme qui est elle-même avec nature et aisance. Être soi-même, c'est rejeter le stéréotype, c'est refuser la relativité à l'image « mâle », celle que la société nous renvoie.

Tenez, le langage aussi, quelle bataille ! Il faut en retrancher tout terme discriminatoire, sans céder à l'alibi de la gentillesse, de la chevalerie... Oui, il faut exécuter purement et simplement la galanterie en tant qu'elle recouvre une approche dominatrice de l'homme !

Pour en revenir à la politique, comment organiser ces luttes ? À l'aide d'un parti, par de petits

groupes ou par l'action spontanée ? Depuis 1968,
les luttes marginales, les actions ponctuelles, ont été
engagées plus par des associations, des groupes « ad
hoc » (G.I.P., A.S.T.I.[1], *Choisir* etc.) que par les
grands partis traditionnels. Les partis reprennent,
recoupent, servent de relais national. Mais l'impact,
le choc dans l'opinion publique ont souvent été
déterminés par une action spectaculaire, d'un type
non classique : grève de la faim, manifestations
d'intellectuels, etc.

Le spontanéisme ? Non. C'est, pour moi, synonyme d'autodestruction. L'action meurt dans le
refus de l'organisation, de la structure quelle qu'elle
soit.

Invention, générosité certes, mais aussi une certaine conception de la liberté à tout crin... Quelque
chose comme le célèbre dérèglement de Rimbaud
appliqué aux rouages de la politique.

Je ne sais donc pas encore. Je cherche. Je crois que
l'heure est à la recherche, à l'invention d'un cadre
de lutte pour les femmes. Cadre qui répondrait à
l'exigence des deux niveaux de lutte. Cadre qui
pourrait être logiquement double d'ailleurs. Toutes
les femmes devraient réfléchir, chercher. Surtout
celles qui ont la chance de s'être battues, d'avoir
remporté quelques victoires, d'avoir lu... bref, celles
qui ont le « pouvoir du savoir ». Une femme, malgré
les apparences, n'est vraiment libérée que dans

---

1. Cf. p. 88, note 1.

un monde où toutes les femmes le sont. Il y a du chemin à faire. Mais ce chemin, toutes les femmes doivent le faire ensemble dans une parfaite solidarité. Les femmes qui condamnent les autres femmes parce qu'elles sont inefficaces, timorées, passives... trahissent. Elles rejoignent l'autre camp pour tenter d'accomplir une libération individuelle. Un simulacre de libération. Disons plutôt une réussite individuelle.

La réussite individuelle, cela dit, ne contrecarre pas nécessairement la marche collective des femmes. Je crois que le progrès, l'histoire, sont faits à la fois de réussites individuelles (« les destins exceptionnels ») et de grands mouvements collectifs. Du point de rencontre naît l'impulsion, la dynamique. Mais je pense que les femmes libérées « individuellement » doivent rester constamment dans le mouvement, aller à la rencontre de leurs sœurs. Ne rien cacher de leurs problèmes, de leurs difficultés. Une femme qui a réussi socialement comme un homme et qui professe qu'elle n'a jamais senti de clivage, d'antagonisme dans sa progression, triche. Ou elle a progressé par une série de compromis qu'elle dissimule. De toute manière, par cette attitude, elle se sépare des autres femmes.

Moi-même par exemple : je bénéficie d'un régime de faveur parce que j'ai pris une place parmi les hommes et que j'entends la tenir comme la femme que je suis... sans tricherie et sans complexes, autant que je le puis. Mais tous les jours, un incident, un geste, un mot me rappellent que je ne suis pas tout à fait libérée et qu'il me reste des batailles à mener, pour moi-même et pour les autres.

Concrètement, je crois à un grand mouvement de masse, où toutes les femmes, quelles que soient leur appartenance politique, leur origine de classe, leur dépendance, se retrouveraient.

Quelque chose comme un vaste *Choisir* où l'objectif ne serait pas seulement de donner la vie librement, mais plus global, plus totalisant. Exister à part entière, en même temps et comme l'homme[1].

Le mouvement de masse a une certaine vertu pédagogique. Il peut apprendre aux femmes de tous les horizons et à celles qui n'ont encore jamais milité, ni osé parler publiquement ni même songé à une dynamique et à une structure de luttes féministes, à s'organiser, à inventer des actions, à aller de l'avant.

Je crois que ce mouvement devrait être uniquement féminin. Si l'on veut qu'il joue un rôle formateur et qu'il aide les femmes à combler leur retard dans leurs facultés d'analyse et de combat, il ne faut pas qu'il soit mixte. La mixité, c'est pour les mouvements politiques, traditionnels. Les femmes, en

---

1. Notamment en politique : *Choisir* a rédigé un « *Programme commun des femmes* » (Grasset, 1978) et a présenté « 100 femmes pour les femmes » aux législatives de 1978.

Élue députée à l'Assemblée Nationale, j'ai proposé en juillet 1982 un amendement à la loi électorale qui imposerait un quota de femmes sur toutes les listes (cf. p. XL, note 12).

Choisir exige aujourd'hui une démocratie paritaire, c'est-à-dire 50 % du pouvoir aux citoyennes.

militant dans leur mouvement de femmes, pourront alors et en même temps, formées « à l'intérieur », s'intégrer à d'autres formations mixtes.

Mais l'élaboration de la théorie féministe moderne, comme le choix de ses luttes, cela ne peut revenir qu'aux femmes.

Au sein du combat que je viens de définir, je crois qu'il ne peut pas être question d'appartenance de classe. Je pense que les femmes bourgeoises et les autres peuvent mener le même combat. Étant entendu que l'oppression des unes et des autres est qualitativement et quantitativement différente. Mais puisée à la même source : l'appartenance au sexe féminin.

Marx s'est, lui aussi, intéressé à l'aliénation des femmes bourgeoises. Parce qu'elle existe objectivement. Et ce n'est plus le clivage de classes qui en est responsable, mais une discrimination de sexes *à l'intérieur* d'une même classe. « *Pour le bourgeois, sa femme n'est autre chose qu'un instrument de production* », a-t-il écrit. Voilà qui jette un pont, singulièrement solide, entre les femmes de toutes les classes... sans qu'elles constituent pour autant une classe à part, comme le prolétariat.

On peut objecter que la bourgeoise ne subit pas d'oppression de classe. Exact. Mais elle reste exploitée, dominée. Par son mari bourgeois qui l'utilise comme objet de représentation, comme signe extérieur de richesse, comme moyen de réus-

site sociale, bref comme « instrument de production ». Est-ce suffisant pour qu'elle prenne
conscience, globalement, de *toutes* les oppressions
cumulées par les femmes ? Je répondrai : et les intellectuels ?

Car je raisonne par analogie. Les intellectuels
bourgeois — hommes et femmes d'ailleurs — qui
s'engagent dans une révolution socialiste, que font-
ils, sinon « trahir » objectivement leur appartenance
de classe pour épouser les intérêts du prolétariat ?
De quoi sont faites toutes les avant-gardes
révolutionnaires ? De bourgeois et non d'ouvriers,
d'exploiteurs et non d'exploités. D'hommes appartenant à la classe moyenne pour la plupart. Si les
intellectuels ont choisi d'être les théoriciens et les
stratèges du mouvement ouvrier, c'est parce qu'ils
ont — dit-on — l'« intelligence théorique de la situation ». Ne peut-on faire le même pari sur les femmes
appartenant aux classes dominantes ? C'est une
question que je pose.

Il arrive que l'on m'objecte : « Vous dotez les
femmes d'un privilège historique exorbitant. Celui-
là même que Marx conférait au prolétariat, et que
vous semblez refuser maintenant aux hommes. Le
pouvoir de conduire une lutte révolutionnaire. En
libérant les femmes, va-t-on libérer le monde ? »

Je commence par préciser qu'il vaudrait mieux
dire : « *Les femmes qui se libèrent* » et non « *libérer les
femmes* ». Car il est essentiel que la libération des

femmes soit leur œuvre propre. Et d'abord parce
qu'il n'y a pas d'exemple que des opprimés aient été
libérés par d'autres qu'eux-mêmes (le choix des
alliances garde cependant toute sa valeur). Cela dit,
je réponds généralement à cette question : « Oui,
c'est l'évidence même... À long terme et au bout du
chemin. »

À première vue, superficiellement, les batailles
féministes apparaissent toujours comme marginales
ou réformatrices. Mais en s'agglomérant, en faisant
prendre conscience, elles obligent à l'analyse radicale, à la remise en cause du système ; elles impliquent une lutte qui les dépassent, qui finalement,
s'inscrit dans le grand mouvement révolutionnaire.
Mouvement dont les femmes deviennent le fer de
lance.

Revenons à l'avortement. J'ai dit que ce problème
me faisait penser à un iceberg, aux racines nombreuses, profondément enchevêtrées dans le conscient et l'inconscient des hommes et des femmes.
Cette bataille, dans un pays où la femme n'est pas
encore majeure, sinon dans les lois formelles, du
moins dans les pratiques, dans la tradition, sert de
catalyseur à une prise de conscience. D'autres
oppressions, subies jusque-là « naturellement »,
seront alors *vécues* en tant que telles. Et c'est le
déclic.

Une femme de la région d'Angers est venue à
Choisir et a raconté sa (brève) histoire. Elle est
enceinte. Son mari, exploitant agricole, ne veut pas
d'enfant. Mais il ne veut s'occuper de rien. Affaire

de femme ! Qu'elle se débrouille ! Elle se débrouille effectivement. Elle se découvre même capable de fort bien se débrouiller toute seule. Elle avorte. Rentrée chez elle, elle refuse de s'occuper, comme par le passé, des tâches subalternes de la ferme. Elle revendique sa part dans la gestion de la ferme et le droit de décider. Et elle gagne.

En définitive, toutes les batailles féministes impliquent, à plus ou moins long terme, une remise en cause globale, non seulement de structures juridiques, économiques mais aussi des mentalités. L'avènement d'une véritable révolution culturelle, n'est-ce pas changer le monde ? Surtout le monde judéochrétien de France, d'Italie, d'Espagne, etc.

On me fait parfois remarquer que l'aspect dramatique, un peu médiéval, de ma propre expérience de l'avortement explique ma révolte et mon engagement total. Aujourd'hui, des histoires comme celle de mon avortement à vif n'ont plus cours... Et la prise de conscience est forcément moindre, moins aiguë.

J'affirme qu'aujourd'hui, comme hier, l'horreur, l'abîme d'ignorance et de solitude des femmes restent, à quelques nuances près, les mêmes.

Écoutez, plutôt. Voici la lettre que j'ai reçue, il y a quelques mois.

Bruyères-sur-Oise le 17-11-72.

M. et Mme O...
95820 Bruyères-sur-Oise.

3 enfants :
   Lionel 18 ans.
   Arlette 16 ans.
   Myriam 9 ans.
   Mon mari 43 ans, plombier.
   Moi-même 43 ans, nourrice de l'Assistance publique de Parmain (2 enfants).
   J'ai perdu un bébé de 6 mois 1/2 qui aurait 20 ans maintenant.

À Maître Halimi,

      Maître,
   Je préfère vous expliquer mon histoire par lettre que par téléphone, je suis trop émue et ainsi vous comprendrez mieux.
   C'est le 17 juin 1972, un samedi matin, vers 8 heures environ ; j'étais dans la cuisine occupée à préparer le déjeuner des enfants, quand soudain ma petite fille Myriam, me dit : « Maman, il y a plein de sang dans le lit » (elle partage le lit avec sa sœur) et au même moment, mon fils Lionel : « Maman, va voir Arlette dans sa chambre. Elle est toute blanche et il y a du sang partout ; je la trouve bizarre. » (Mon fils venait de prendre un tricot dans l'armoire de sa sœur, étant donné qu'il n'en possède pas dans sa

chambre ; c'est un cosi.) Apeurée par ces mots, je me précipite pour me rendre compte. Que vois-je ? Ma fille Arlette, toute blanche, les yeux hagards, qui descendait les escaliers. « Mon Dieu, que t'arrive-t-il ? Dans quel état es-tu ? — Maman, je veux me laver. » Je l'aide tant soit peu. « Laisse cela, je te remonte dans ta chambre et je vais appeler le docteur. » En arrivant dans sa chambre, quelle a été ma stupéfaction de voir plein de sang dans son lit et par terre. « Bon, viens dans le lit de Lionel, tout de suite. » Je la change, je ne pose pas de question. Je frappe à la fenêtre pour appeler mon fils Lionel qui était chez la voisine, aidant mon frère à faire de la maçonnerie. Je lui crie : « Va vite appeler le docteur. Qu'il vienne en toute urgence. » Là, je prends de l'eau de Cologne pour essayer de la ranimer de peur qu'elle ne me glisse dans les bras. À la fin je dis à ma fille Arlette : « Mais, mon Dieu, qu'as-tu fait ? Je t'en supplie, dis-moi quelque chose. — Maman, ma petite Maman, j'ai fait une bêtise. Maman ma petite Maman, pardonne-moi. — Alors, tu as fait une fausse couche ; ce n'est rien, ma chérie, je te pardonne. Le docteur va arriver. On va te soigner, mais il va falloir que tu ailles à l'hôpital. Mais avec qui, mon Dieu, je t'en prie, dis-le-moi. Je ne te gronderai pas. — Maman, c'est Gérard... — Oh, mon Dieu, quel goujat, le saligot. Il a profité de ton innocence, il ne l'emportera pas au paradis. » Étant toujours auprès de ma fille, le docteur arrive, l'ausculte : « Madame, votre fille fait une forte hémorragie. Ce n'est rien, c'est courant ces histoires-là. Il faut l'envoyer d'urgence à l'hôpital. Je fais le nécessaire. »

L'ambulance arrive, mon fils aide la femme à descendre sa sœur. Sur ces entrefaites, ma fille Arlette me désigne une gabardine. « C'est là-dedans. — Ce n'est rien, ma chérie, ne t'inquiète pas, tu vas être bien soignée, tu n'y penseras plus. Lionel va t'accompagner et j'irai après avec tonton Pierrot (mon frère). » Elle se remet à dire : « Maman, ma petite Maman, surtout ne dis rien à papa, j'ai peur... — Mais non, mais non, ne pense à rien, ma chérie. Je te protégerai. »

J'avais fait cette réponse à ma fille, croyant fermement que c'était une fausse couche, qu'il ne pourrait y avoir dans la gabardine qu'un fœtus de quelques mois. Je ne me sentais pas la force de regarder. C'était au-dessus de mes forces et, vers 13 heures, environ, mon mari qui n'était au courant de rien, que vois-je arriver de nouveau : le docteur. Voyant qu'il avait l'air soucieux, je me précipite vers lui : « Qu'y a-t-il, docteur, ma fille va au plus mal ? — Non, mais votre fille a mis un enfant au monde. L'hôpital vient de me prévenir qu'il y avait un plasma[1] ; il faut apporter l'enfant à la morgue au Dr B... (Hôpital Isle-Adam). » À ces paroles, je restai clouée sur place sans pouvoir dire un seul mot. « Madame, il faut vous remettre et avouer tout à votre mari. » Comme une somnambule, je m'approche de mon mari : « Jeannot, j'ai quelque chose

1. Mme O... a voulu dire, je pense, « placenta ».

de très grave à t'annoncer. Tue-moi si tu veux, mais
je t'en supplie, ne touche pas à ma petite Arlette. Il
faut que tu nous aides. Arlette est à l'hôpital. Elle
vient de mettre un enfant au monde. Il est dans la
gabardine. Regarde, je t'en supplie, mais moi je ne
peux pas. Cela me ferait trop souffrir. »

Il va regarder dans la gabardine et soudain,
j'entendis mon mari qui sanglotait. Il revient vers
moi, en me disant : « Quel malheur, mon Dieu, un si
beau bébé, moi qui croyais ma fille innocente. Mais
qui est le père, pas le Saint-Esprit quand même ! Je
ne te demande qu'une chose, le nom du père. » Je
lui réponds : « C'est Gérard. » À son tour, il me dit :
« Cela ce n'est pas possible, c'est incroyable, le fils
de nos amis, lui à qui on aurait donné le Bon Dieu
sans confession, celui auquel on avait une confiance
illimitée. On l'aurait laissée aller au bout du monde
avec lui. »

Après, nous sommes partis tous les deux porter
l'enfant avec une voisine qui possède une voiture. À
l'hôpital, ce n'est que mon mari qui est rentré dans
la pièce avec le docteur. Nous sommes repartis à la
maison. Et quel écroulement, le 20 juin à 6 heures
du matin, les gendarmes de Pontoise, avec un de
Beaumont-sur-Oise, sont venus nous chercher pour
formalité. Là, ils nous ont annoncé brutalement
qu'on avait étranglé l'enfant et c'est ma pauvre
petite fille qui a accouché toute seule comme une
bête sauvage. Par la peur, elle a tiré sur la tête et
c'est ce qui l'a étranglé. Elle n'a pas osé m'appeler
tellement elle avait peur. Et dire que moi, je n'ai

rien entendu, absolument rien. J'en suis malade. Sa porte de chambre était fermée et comme c'était samedi, je croyais qu'elle dormait. Enfin, finalement les gendarmes m'ont dit : « Ce n'est pas elle, la fautive, mais lui c'est un saligot. Ne vous en faites pas, pensez à votre fille. Elle a assez souffert comme cela. Il faut aller la voir. » Et aujourd'hui, nous avons reçu une convocation pour se présenter devant M. le juge d'instruction, cabinet..., Tribunal de Grande Instance, le... 1972, à 9 h 15. Maître, il faut que je vous dise. Il y a eu une enquête sur nous. Nous avons obtenu de bons témoins. De toute façon, le maire de mon village vous dira qui nous sommes, ainsi que tous les commerçants, mon assistante sociale, Mlle A... et ma directrice Mlle V... Maintenant, je vous parle de mon mari. Il a de l'or dans les mains. Il fait tout de ses dix doigts, est très bon. Mais quand il voit rouge, il est très méchant, n'admet aucune réplique. Nous en avons très peur ; ma fille Arlette ne sortait presque jamais. Elle a été une fois seule au bal de la fête du pays (le dernier dimanche d'août 1971) avec Mme M..., qui accompagnait également sa fille au bal, une ou deux fois au cinéma avec son frère, mais toujours accompagnée. Tout mon voisinage vous le dira. Elle passait pour une petite fille sérieuse, toujours souriante, aimable avec tout le monde. Elle adore les enfants. Cela n'aurait pas été un problème pour l'élever. D'autant plus que j'aurais pu obtenir de l'aide de ma directrice. J'ai plein de petites affaires de mes nourrissons, un petit lit qui n'est pas occupé ; de nos jours, on pardonne beaucoup de choses. Le plus triste, c'est que je ne me suis jamais doutée que ma fille pouvait être enceinte. Sinon, vous pensez bien que je me serais débrouillée pour faire quelque chose. Je voyais bien qu'elle grossissait mais comme elle est déjà d'une nature forte, surtout du bassin et des cuisses, c'est une grosse gourmande. Je lui disais : « Mais, je t'en prie, mange moins de gâteaux, de bonbons. Sinon, je ne veux pas te vexer, mais si tu continues ainsi, tu vas devenir comme Coco. » (C'est une nièce du côté de mon mari qui est vraiment très forte, d'ailleurs du côté de mon mari, ils sont tous très forts et de mon côté, nous ne sommes pas maigres non plus.) Si j'avais eu une fille pas sérieuse. Là, je me serais inquiétée, je m'aurais dit : « Elle me cache quelque chose » et sans prévenir, je l'aurais fait ausculter par un docteur. D'ailleurs, je vous montrerai les affaires qu'elle mettait.

Gérard G..., c'est le fils de nos amis qui habitent juste en face de nous. Père d'un enfant de six ans et d'un de deux ans, a une femme très gentille. Ses parents sont très désolés depuis que cette histoire est arrivée. Il n'est jamais revenu chez ses parents. J'ai appris qu'il avait un avocat. Tout le monde nous conseille de l'attaquer en détournement de mineure. Mon mari et moi, nous voudrions éviter cette chose. Mais bien sûr, qu'il verse de l'argent le plus possible au profit des Orphelins. Nous avons pitié de ses enfants et sa pauvre femme, mais pas de lui. Nous avions une telle confiance en lui, qu'on ne peut lui pardonner.

J'espère, Maître, que vous nous aiderez surtout à sauver notre fille chérie.

Je vous téléphonerai comme convenu mardi 21 à 11 h 30 ou 12 heures.

À l'avance, nous vous remercions de tout cœur.

Signé : Mme O...

C'est épouvantable. Mais cela existe ! En 1973 ! Dans ce siècle de progrès et à quelques kilomètres de Paris ! Cette gosse de quinze ans, terrorisée par son père, muette avec sa mère, abandonnée par le monsieur géniteur, accouchant comme « une bête sauvage, au pied de son lit » et, au bout du compte, accusée du crime d'infanticide !... Ainsi que son père, sa mère et son frère âgé de dix-huit ans !

À cette cassure, dont je crains qu'elle ne se remette jamais, la société a ajouté l'abominable épreuve de l'interrogatoire policier, du manichéisme du juge d'instruction, des confrontations, de l'accumulation des détails les plus intimes, des questions scabreuses. Arlette était-elle vierge *avant* ? *Vraiment* ? Comment avait-elle fait l'amour ? Chez lui ? Mais dans la voiture *aussi*... Combien de fois ? Et l'enfant ? Elle avait voulu le tuer... C'est l'évidence même. Inutile de nier... Arlette s'entend répondre, tenter d'expliquer d'une voix éteinte. Elle n'est pas réveillée. Le cauchemar sanglant continue de la submerger. Non, elle n'a pas voulu tuer. Tout simplement, elle n'a pas su. Elle ne savait pas couper un cordon ombilical toute seule. Non... Elle n'avait jamais entendu parler d'amour, de rapports sexuels... la grossesse ? Non, elle ne parlait à personne. Oui, elle avait peur de son père qui était brutal. Sa mère ? Elle avait également peur du père. C'est comme ça. À l'école ? Rien. Non, pas d'éducation sexuelle. La contraception ? Elle n'en avait jamais entendu parler.

Arlette, c'est un gros poupon. Elle est toute rose, toute joufflue, toute ronde. Mais dans ses yeux bleus comme des lacs, je vois souvent comme la souffrance de questions sans réponse, les grandes questions de l'enfance, essentielles. Pourquoi cette souffrance ? Pourquoi cette horreur ? Pourquoi ce monde ? Il a fallu avoir recours au valium, aux tranquillisants, à une psychothérapie, pour l'estomper, cette angoisse.

Son bébé mort parce que le monde autour d'elle était demeuré silencieux et hostile, je crois qu'Arlette le pleure. En tout cas, elle ne sait plus très bien. Une ou deux fois, elle m'a dit : « Mon enfant... »

Aujourd'hui, Arlette n'est plus une criminelle en liberté provisoire. Elle a bénéficié, comme toute sa famille, d'une ordonnance de non-lieu. Le dossier est classé. C'est important. Elle va mieux. Elle sourit, elle travaille, elle milite. Elle est devenue permanente de *Choisir*. Pour la première fois de sa vie, elle se trouve dans un milieu de filles chaleureuses, actives. Tout naturellement proches d'elle. Cela lui aura fait beaucoup de bien.

Il reste que le choc est le choc. Et qu'il est des moments où toute lumière disparaît de son visage, où son regard devient vague. Non, Arlette n'est pas guérie...

Objectivement, je considère que libérer la femme, c'est libérer l'homme. Mais j'ajouterai aussitôt : aujourd'hui, pour les femmes en lutte, ce problème n'est ni prioritaire, ni une préoccupation à court terme. Ce que je viens de dire paraît contradictoire et ne l'est cependant pas. Je m'en explique : l'homme est l'oppresseur, l'homme et sa relation à la femme. L'objectif des luttes des femmes est donc clair : désarmer l'oppresseur, supprimer ses privilèges.

Ne croyez-vous pas alors qu'il serait paradoxal — et démobilisateur — de crier aux opprimées engagées dans leur marche : « Attention ! N'oubliez pas que vous vous battez aussi pour vos oppresseurs ! » Même si cette bataille comprend dialectiquement et à long terme la libération des maîtres, la stratégie de cette lutte ne saurait en être modifiée pour autant.

Je ne crois franchement pas que les hommes puissent contribuer à notre lutte, qui au bout du compte, les concerne. Sauf exceptions bien sûr. Ce peut être un pari à faire. Un de plus. Mais en se gardant de toute illusion sentimentale. En restant vigilantes, aux aguets. En espérant que les hommes auront aussi « l'intelligence théorique » de leur libération à travers la nôtre.

Mais attention à la liberté octroyée aux femmes !
Et il y a tant de stratagèmes pour dire cela avec des
fleurs... À la place du colonialisme, nous serions
mûres pour le néocolonialisme.

Libérer la femme implique un changement des
structures, et des rapports économiques. Mais aussi
un changement dans la forme « mâle » du pouvoir.
Et même — c'est la pierre de touche de ce combat
— une révolution des mentalités. Un monde à
changer dans son « commerce », dans sa relation,
dans sa culture. L'homme devra réapprendre à vivre.
L'homme nouveau sera libre, car il ne sera plus en
situation d'oppresseur. De même qu'un pays qui en
opprime un autre n'est pas un pays libre, un homme
ne pourra se réclamer de la liberté que si la femme
en jouit, à part entière, comme lui. L'homme, du
même coup, est débarrassé de son carcan : l'obligation d'être à la hauteur de l'image dominante. Il
pourra jeter bas les masques. Et oublier les fatigues
de la virilité triomphante, mythe boomerang...

Il pourra naître entre la femme et l'homme une
nouvelle approche, une nouvelle relation. Tout
aura changé en fait : la sexualité, le partage des
tâches, le langage. Une autre manière d'appréhender la vie. Un partage juste et responsable entre
deux égales libertés.

Révolution des femmes ? Je ne crois pas. Mais les
femmes, aile marchante d'une nouvelle révolution,
oui !

À coup sûr, oui !...

Annexes

Avortement

CODE PÉNAL

Article 317[1]

Quiconque, par aliments, breuvages, médicaments, manœuvres, violences ou par tout autre moyen aura procuré ou tenté de procurer l'avortement d'une femme enceinte ou supposée enceinte, qu'elle y ait consenti ou non, sera puni d'un emprisonnement d'un an à cinq ans et d'une amende de 1 800 à 36 000 F.

L'emprisonnement sera de cinq ans à dix ans et l'amende de 18 000 à 72 000 F s'il est établi que le coupable s'est livré habituellement aux actes visés au paragraphe précédent.

Sera punie d'un emprisonnement de six mois à deux ans et d'une amende de 360 F à 7 200 F la femme qui se sera procuré l'avortement à elle-même ou aura tenté de se le procurer, ou qui aura consenti

1. L'application de l'*article* 317 du *Code pénal* a été suspendue pour cinq ans par le vote de la loi du 17 janvier 1975 (dite loi Veil), puis définitivement par la loi du 31 décembre 1979 (cf. textes *infra*).

à faire usage des moyens à elle indiqués ou administrés à cet effet.

Les médecins, officiers de santé sages-femmes,
chirurgiens-dentistes, pharmaciens ainsi que les étudiants en médecine, les étudiants ou employés en
pharmacie, herboristes, bandagistes, marchands
d'instruments de chirurgie, infirmiers, infirmières,
masseurs, masseuses qui auront indiqué, favorisé ou
pratiqué les moyens de procurer l'avortement
seront condamnés aux peines prévues aux paragra-
phes premier et second du présent article. La sus-
pension pendant cinq ans au moins ou l'incapacité
absolue de l'exercice de leur profession seront, en
outre, prononcées contre les coupables.

Quiconque contrevient à l'interdiction d'exercer
sa profession prononcée en vertu du paragraphe
précédent sera puni d'un emprisonnement de six
mois au moins et de deux ans au plus et d'une
amende de 3 600 F au moins et de 36 000 F au plus
ou de l'une de ces deux peines seulement.

Affiche placardée dans le département de la Réunion.

Affiche placardée dans le département de la Réunion.

TRACT POUR MARIE-CLAIRE

UNE JEUNE FILLE DE 17 ANS
VA ÊTRE JUGÉE
POUR AVOIR AVORTÉ

Comme un million d'autres femmes en France chaque année,
Marie-Claire a vécu le drame de l'avortement clandestin.

- PARCE QU'ELLE n'avait pas 3.000 frs. pour aller avorter
  confortablement dans une clinique de Genève, Londres ou
  même Paris,

- PARCE QU'ELLE est fille naturelle d'une mère célibataire,
  employée de métro, qui a élevé toute seule ses trois filles,

- PARCE QU'IL N'Y A AUCUNE EDUCATION SEXUELLE à l'école et que
  la contraception est sabotée en France (comme le reconnaît
  le député U.D.R. Neuwirth, auteur de la loi sur la contraception),

- PARCE QUE, comme toujours dans ces cas-là, elle s'est trouvée
  SEULE pour s'en sortir,

elle doit, aujourd'hui revivre ce drame et subir le JUGEMENT À
HUIT-CLOS d'une société qui est la véritable responsable de
cette situation.

Nous, les femmes qui avons vécu cette situation, qui pouvons
la vivre chaque mois, nous sommes solidaires de Marie-Claire.

TOUTES ET TOUS
DEVANT LE TRIBUNAL DE BOBIGNY
CITÉ ADMINISTRATIVE

LE MERCREDI 11 OCTOBRE
À 9 HEURES
Métro Eglise de Pantin - Puis Autobus
jusqu'à Cité Administrative

ASSOCIATION CHOISIR
174, RUE DE L'UNIVERSITÉ
PARIS 7EME

- POUR LA CONTRACEPTION
- POUR LA SUPPRESSION DES TEXTES REPRESSIFS DE L'AVORTEMENT
- POUR LA DÉFENSE GRATUITE DE TOUS LES INCULPÉS D'AVORTEMENT

Membres fondateurs

Jean ROSTAND de l'Académie Française
Simone de BEAUVOIR , Gisèle HALIMI
Christiane ROCHEFORT, Delphine SEYRIG

QU'EST-CE QUE LA CONTRACEPTION?

« La contraception est un complot antimilita-
riste. Les soldats se recrutent en effet dans les
classes laborieuses. Si l'on donne des contraceptifs
aux pauvres, où allons-nous trouver les hommes
qui se battront au cours de la prochaine guerre? »

Déclaration du sénateur Roseleip
(Wisconsin USA)
L'Express, 4-11 juin 1973.

LOI VEIL

Loi n° 75-17 du 17 janvier 1975
relative à l'interruption volontaire
de la grossesse

(*Journal officiel* du 18 janvier 1975.)

L'Assemblée nationale et le Sénat ont adopté,
Le Conseil constitutionnel a déclaré conforme à la
Constitution,
Le Président de la République promulgue la loi
dont la teneur suit :

TITRE Ier

Art. 1er. — La loi garantit le respect de tout être
humain dès le commencement de la vie. Il ne saurait
être porté atteinte à ce principe qu'en cas de nécessité et selon les conditions définies par la présente
loi.

Art. 2. — Est suspendue pendant une période de
cinq ans à compter de la promulgation de la présente loi, l'application des dispositions des quatre
premiers alinéas de l'article 317 du code pénal
lorsque l'interruption volontaire de la grossesse est
pratiquée avant la fin de la dixième semaine par un

médecin dans un établissement d'hospitalisation public ou un établissement d'hospitalisation privé satisfaisant aux dispositions de l'article L. 176 du code de la santé publique.

Art. 3. — Après le chapitre III du titre Ier du livre II du code de la santé publique, il est inséré un chapitre III *bis* intitulé « Interruption volontaire de la grossesse ».

Art. 4. — La section I du chapitre III *bis* du titre Ier du livre II du code de la santé publique est ainsi rédigé :

SECTION I

Interruption volontaire de la grossesse
pratiquée avant la fin de la dixième semaine.

« *Art.* L. 162-1. — La femme enceinte que son état place dans une situation de détresse peut demander à un médecin l'interruption de sa grossesse. Cette interruption ne peut être pratiquée qu'avant la fin de la dixième semaine de grossesse.

« *Art.* L. 162-2. — L'interruption volontaire d'une grossesse ne peut être pratiquée que par un médecin.

« Elle ne peut avoir lieu que dans un établissement d'hospitalisation public ou dans un établissement d'hospitalisation privé satisfaisant aux dispositions de l'article L. 176.

« *Art.* L. 162-3. — Le médecin sollicité par une femme en vue de l'interruption de sa grossesse doit, sous réserve de l'article L. 162-8 :

« 1° Informer celle-ci des risques médicaux qu'elle encourt pour elle-même et pour ses maternités futures ;

« 2° Remettre à l'intéressée un dossier-guide comportant :

« *a)* L'énumération des droits, aides et avantages garantis par la loi aux familles, aux mères, célibataires ou non, et à leurs enfants, ainsi que des possibilités offertes par l'adoption d'un enfant à naître ;

« *b)* La liste et les adresses des organismes visés à l'article 162-4.

« Un arrêté précisera dans quelles conditions les directions départementales d'action sanitaire et sociale assureront la réalisation des dossiers-guides destinés aux médecins.

« *Art.* L. 162-4. — Une femme s'estimant placée dans la situation visée à l'article L. 162-1 doit, après la démarche prévue à l'article L. 162-3, consulter un établissement d'information, de consultation ou de conseil familial, un centre de planification ou d'éducation familiale, un service social ou un autre organisme agréé qui devra lui délivrer une attestation de consultation.

« Cette consultation comporte un entretien particulier au cours duquel une assistance et des conseils appropriés à la situation de l'intéressée lui sont apportés, ainsi que les moyens nécessaires pour résoudre les problèmes sociaux posés.

« Les personnels des organismes visés au premier alinéa sont soumis aux dispositions de l'article 378 du code pénal.

« Chaque fois que cela est possible, le couple participe à la consultation et à la décision à prendre.

« *Art*. L. 162-5. — Si la femme renouvelle, après les consultations prévues aux articles L. 162-3 et L. 162-4, sa demande d'interruption de grossesse, le médecin doit lui demander une confirmation écrite ; il ne peut accepter cette confirmation qu'après l'expiration d'un délai d'une semaine suivant la première demande de la femme.

« *Art*. L. 162-6. — En cas de confirmation, le médecin peut pratiquer lui-même l'interruption de grossesse dans les conditions fixées au deuxième alinéa de l'article L. 162-2. S'il ne pratique pas lui-même l'intervention, il restitue à la femme sa demande pour que celle-ci soit remise au médecin choisi par elle et lui délivre en outre un certificat attestant qu'il s'est conformé aux dispositions des articles L. 162-3 et L. 162-5.

« L'établissement dans lequel la femme demande son admission doit se faire remettre les attestations justifiant qu'elle a satisfait aux consultations prescrites aux articles L. 162-3 à L. 162-5.

« *Art*. L. 162-7. — Si la femme est mineure célibataire, le consentement de l'une des personnes qui exerce l'autorité parentale ou, le cas échéant, du représentant légal est requis.

« *Art*. L. 162-8. — Un médecin n'est jamais tenu de donner suite à une demande d'interruption de grossesse ni de pratiquer celle-ci mais il doit informer, dès la première visite, l'intéressée de son refus.

« Sous la même réserve, aucune sage-femme, aucun infirmier ou infirmière, aucun auxiliaire médical, quel qu'il soit, n'est tenu de concourir à une interruption de grossesse.

« Un établissement d'hospitalisation privé peut refuser que des interruptions volontaires de grossesse soient pratiquées dans ses locaux.

« Toutefois, dans le cas où l'établissement a demandé à participer à l'exécution du service public hospitalier ou conclu un contrat de concession, en application de la loi n° 70-1318 du 31 décembre 1970 portant réforme hospitalière, ce refus ne peut être opposé que si d'autres établissements sont en mesure de répondre aux besoins locaux.

« *Art*. L. 162-9. — Tout établissement dans lequel est pratiquée une interruption de grossesse doit assurer, après l'intervention, l'information de la femme en matière de régulation des naissances.

« *Art*. L. 162-10. — Toute interruption de grossesse doit faire l'objet d'une déclaration établie par le médecin et adressée par l'établissement où elle est pratiquée au médecin inspecteur régional de la santé ; cette déclaration ne fait aucune mention de l'identité de la femme.

« *Art*. L. 162-11. — L'interruption de grossesse

n'est autorisée pour une femme étrangère que si celle-ci justifie de conditions de résidence fixées par voie réglementaire.

« Les femmes célibataires étrangères âgées de moins de dix-huit ans doivent en outre se soumettre aux conditions prévues à l'article L. 162-7. »

Art. 5. — La section II du chapitre III *bis* du titre Ier du livre II du code de la santé publique est ainsi rédigée :

SECTION II

Interruption volontaire de la grossesse pratiquée pour motif thérapeutique.

« *Art.* 162-12. — L'interruption volontaire d'une grossesse peut, à toute époque, être pratiquée si deux médecins attestent, après examen et discussion, que la poursuite de la grossesse met en péril grave la santé de la femme ou qu'il existe une forte probabilité que l'enfant à naître soit atteint d'une affection d'une particulière gravité reconnue comme incurable au moment du diagnostic.

« L'un des deux médecins doit exercer son activité dans un établissement d'hospitalisation public ou dans un établissement d'hospitalisation privé satisfaisant aux conditions de l'article L. 176 et l'autre être inscrit sur une liste d'experts près la Cour de cassation ou près d'une cour d'appel.

« Un des exemplaires de la consultation est remis à l'intéressée ; deux autres sont conservés par les médecins consultants.

« *Art*. L. 162-13. — Les dispositions des articles L. 162-2 et L. 162-8 à L. 162-10 sont applicables à l'interruption volontaire de la grossesse pratiquée pour motif thérapeutique. »

Art. 6. — La section III du chapitre III *bis* du titre Ier du livre II du code de la santé publique est ainsi rédigée :

SECTION III

Dispositions communes.

« *Art*. L. 162-14. — Un décret en Conseil d'État fixera les conditions d'application du présent chapitre. »

TITRE III

Art. 7. — I. — L'intitulé de la section I du chapitre V du livre II du code de la santé publique est modifié comme suit :

SECTION I

Établissements d'hospitalisation recevant des femmes enceintes.

II. — À l'article L. 176 du code de la santé publique les mots « une clinique, une maison d'accouchement ou un établissement privé » sont remplacés par les mots « un établissement d'hospitalisation privé ».

III. — L'article L. 178 du code de la santé publique est modifié comme suit :

« *Art*. L. 178. — Le préfet peut, sur rapport du médecin inspecteur départemental de la santé, prononcer le retrait de l'autorisation prévue à l'article L. 176 si l'établissement cesse de remplir les conditions fixées par le décret prévu audit article ou s'il contrevient aux dispositions des articles L. 162-6 (2e alinéa) et L. 162-9 à L. 162-11. »

IV. — Il est introduit dans le code de la santé publique un article L. 178-1 ainsi rédigé :

« *Art*. L. 178-1. — Dans les établissements visés à l'article L. 176 le nombre d'interruptions volontaires de grossesse pratiquées chaque année ne pourra être supérieur au quart du total des actes chirurgicaux et obstétricaux.

« Tout dépassement entraînera la fermeture de l'établissement pendant un an. En cas de récidive, la fermeture sera définitive. »

Art. 8. — Les frais de soins et d'hospitalisation afférents à l'avortement volontaire, effectué dans les conditions prévues au chapitre III *bis* du titre Ier du livre II du code de la santé publique, ne peuvent excéder les tarifs fixés en application de l'ordonnance n° 45-1483 du 30 juin 1945 relative aux prix.

Art. 9. — Il est ajouté au titre III, chapitre VII du code de la famille et de l'aide sociale un article L. 181-2 ainsi rédigé :

« *Art*. L. 181-2. — Les frais de soins et d'hospitalisation afférents à l'interruption volontaire de grossesse effectuée dans les conditions prévues au

chapitre III *bis* du titre Ier du livre II du code de la
santé publique sont pris en charge dans les conditions fixées par décret. »

Art. 10. — L'article L. 647 du code de la santé
publique est remplacé par les dispositions
suivantes :

« *Art.* L. 647. — Sans préjudice des dispositions
de l'article 60 du code pénal, seront punis d'un
emprisonnement de deux mois à deux ans et d'une
amende de 2 000 à 20 000 F ou de l'une de ces deux
peines seulement, ceux qui, par un moyen quelconque, auront provoqué à l'interruption de grossesse, même licite, alors même que cette provocation n'aurait pas été suivie d'effet.

« Seront punis des mêmes peines ceux qui, par
un moyen quelconque, sauf dans les publications
réservées aux médecins et aux pharmaciens, auront
fait de la propagande ou de la publicité directe ou
indirecte concernant soit les établissements dans
lesquels sont pratiquées les interruptions de grossesse, soit les médicaments, produits et objets ou
méthodes destinés à procurer ou présentés comme
de nature à procurer une interruption de grossesse.

« En cas de provocation, de propagande ou de
publicité au moyen de l'écrit, même introduit de
l'étranger, de la parole ou de l'image, même si
celles-ci ont été émises de l'étranger, pourvu qu'elles
aient été perçues en France, les poursuites prévues
aux alinéas précédents seront exercées contre les
personnes énumérées à l'article 285 du code pénal,
dans les conditions fixées par cet article, si le délit a

été commis par la voie de la presse, et contre les personnes reconnues responsables de l'émission ou, à leur défaut, les chefs d'établissements, directeurs ou gérants des entreprises ayant procédé à la diffusion ou en ayant tiré profit, si le délit a été commis par toute autre voie. »

Art. 11. — Les dispositions du titre II de la présente loi seront applicables tant que le titre Ier restera en vigueur.

L'application des articles L. 161-1, L. 650 et L. 759 du code de la santé publique est suspendue pour la même durée.

Art. 12. — Le début du deuxième alinéa de l'article 378 du code pénal est ainsi rédigé :

« Toutefois, les personnes ci-dessus énumérées, sans être tenues de dénoncer les avortements pratiqués dans des conditions autres que celles qui sont prévues par la loi, dont elles ont eu connaissance... »

(Le reste sans changement.)

Art. 13. — En aucun cas l'interruption volontaire de la grossesse ne doit constituer un moyen de régulation des naissances. À cet effet, le Gouvernement prendra toutes les mesures nécessaires pour développer l'information la plus large possible sur la régulation des naissances, notamment par la création généralisée, dans les centres de protection maternelle et infantile, de centres de planification ou d'éducation familiale et par l'utilisation de tous les moyens d'information.

Art. 14. — Chaque centre de planification ou d'éducation familiale constitué dans les centres de protection maternelle et infantile sera doté des moyens nécessaires pour informer, conseiller et aider la femme qui demande une interruption volontaire de grossesse.

Art. 15. — Les décrets pris pour l'application de la présente loi seront publiés dans un délai de six mois à compter de la date de sa promulgation.

Art. 16. — Le rapport sur la situation démographique de la France, présenté chaque année au Parlement par le ministre chargé de la population, en application de la loi n° 67-1176 du 28 décembre 1967, comportera des développements sur les aspects socio-démographiques de l'avortement.

En outre, l'Institut National d'Études Démographiques analysera et publiera, en liaison avec l'Institut National de la Santé et de la Recherche Médicale, les statistiques établies à partir des déclarations prévues à l'article L. 162-10 du code de la santé publique.

La présente loi sera exécutée comme loi de l'État.

Fait à Paris, le 17 janvier 1975.

VALÉRY GISCARD D'ESTAING.

Par le Président de la République :

Le Premier ministre,
JACQUES CHIRAC.

Le ministre d'État,
ministre de l'intérieur,
MICHEL PONIATOWSKI.

Le garde des sceaux,
ministre de la justice,
JEAN LECANUET.

Le ministre du travail,
MICHEL DURAFOUR.

Le ministre de la santé,
SIMONE VEIL.

INTERRUPTION VOLONTAIRE
DE GROSSESSE

Loi n° 79-1204 du 31 décembre 1979

Article 1er — L'article 1er de la loi n° 75-17 du 17 janvier 1975, relative à l'interruption volontaire de la grossesse, est complété par le nouvel alinéa suivant :

L'enseignement de ce principe et de ses conséquences, l'information sur les problèmes de la vie et de la démographie nationale et internationale, l'éducation à la responsabilité, l'accueil de l'enfant dans la société et la politique familiale sont des obligations nationales. L'État, avec le concours des collectivités territoriales, exécute ces obligations et soutient les initiatives qui y contribuent.

Article 2 — Il est ajouté à l'article 13 de la loi n° 75-17 du 17 janvier 1975 un deuxième alinéa ainsi rédigé :

La formation initiale et la formation permanente des médecins, des sages-femmes, ainsi que des infirmiers et infirmières, comprennent un enseignement sur la contraception.

Article 3 — I — Dans le premier et le cinquième

alinéa de l'article 317 du code pénal, le chiffre
« 60 000 F » est remplacé par le chiffre « 100 000 F ».

II — Dans le deuxième alinéa de l'article 317 du
code pénal, le chiffre « 120 000 F » est remplacé par
le chiffre « 250 000 F ».

III — Dans le cinquième alinéa de l'article 317 du
code pénal, les mots « de deux ans » sont remplacés
par les mots « de cinq ans ».

IV — L'article 317 du code pénal est complété par
un sixième alinéa rédigé ainsi qu'il suit :

Les dispositions des quatre premiers alinéas du
présent article ne sont pas applicables lorsque l'interruption volontaire de la grossesse est pratiquée soit
dans les conditions fixées par l'article L. 162-12 du
code de la santé publique, soit avant la fin de la
dixième semaine, par un médecin, dans un établissement d'hospitalisation public ou un établissement
d'hospitalisation privé satisfaisant aux dispositions
de l'article L. 176 du code de la santé publique.

Article 4. — L'article L. 162-3 du code de la santé
publique est remplacé par les dispositions suivantes :

Article L. 162-3 — Le médecin sollicité par une
femme en vue de l'interruption de sa grossesse doit,
dès la première visite :

1) Informer celle-ci des risques médicaux qu'elle
encourt pour elle-même et pour ses maternités
futures, et de la gravité biologique de l'intervention
qu'elle sollicite ;

2) Lui remettre un dossier-guide, mis à jour au
moins une fois par an, comportant notamment :

a) Le rappel des dispositions de l'article 1er de

la loi n° 75-17 du 17 janvier 1975, ainsi que des dispositions de l'article L. 162-1 du présent code qui limite l'interruption de la grossesse au cas où la femme enceinte se trouve placée par son état dans une situation de détresse ;

b) L'énumération des droits, aides et avantages garantis par la loi aux familles, aux mères, célibataires ou non, et à leurs enfants, ainsi que des possibilités offertes par l'adoption d'un enfant à naître ;

c) La liste et les adresses des organismes visés à l'article L. 162-4, ainsi que des associations et organismes susceptibles d'apporter une aide morale ou matérielle aux intéressés ;

d) La liste et les adresses des établissements où sont effectuées des interruptions volontaires de la grossesse.

Un arrêté précise dans quelles conditions les directions départementales des affaires sanitaires et sociales assurent la réalisation et la diffusion des dossiers-guides destinés aux médecins.

Article 5 — Le deuxième alinéa de l'article L. 162-4 du code de la santé publique est complété par les dispositions suivantes :

... en vue notamment de permettre à celle-ci de garder son enfant. À cette occasion, lui sont communiqués les noms et adresses des personnes qui, soit à titre individuel, soit au nom d'un organisme, d'un service ou d'une association, seraient susceptibles d'apporter une aide morale ou matérielle aux femmes et aux couples confrontés aux problèmes de l'accueil de l'enfant.

II — Il est inséré, dans le même article, après le deuxième alinéa, un alinéa ainsi rédigé :

Sauf en ce qui concerne les établissements hospitaliers publics, ces consultations ne peuvent se dérouler à l'intérieur des établissements dans lesquels sont pratiquées des interruptions volontaires de la grossesse.

Article 6 — L'article L. 162-5 du code de la santé publique est complété par la disposition suivante :

..., sauf au cas où le terme des dix semaines risquerait d'être dépassé, le médecin étant seul juge de l'opportunité de sa décision. En outre, cette confirmation ne peut intervenir qu'après l'expiration d'un délai de deux jours suivant l'entretien prévu à l'article L. 162-4, ce délai pouvant être inclus dans celui d'une semaine prévu ci-dessus.

Article 7 — Le deuxième alinéa de l'article L. 162-6 du code de la santé publique est remplacé par un nouvel alinéa ainsi rédigé :

Le directeur de l'établissement d'hospitalisation dans lequel une femme demande son admission en vue d'une interruption volontaire de la grossesse doit se faire remettre et conserver pendant au moins un an les attestations justifiant qu'elle a satisfait aux consultations prescrites aux articles L. 162-3 à L. 162-5.

Article 8 — L'article L. 162-7 du code de la santé publique est complété par la phrase suivante :

Ce consentement devra être accompagné de celui de la mineure célibataire enceinte, ce dernier étant donné en dehors de la présence des parents ou du représentant légal.

Article 9 — I — Le premier alinéa de l'article L. 162-8 du code de la santé publique est remplacé par les dispositions suivantes :

Un médecin n'est jamais tenu de pratiquer une interruption volontaire de la grossesse mais il doit informer, au plus tard lors de la première visite, l'intéressée de son refus. Il est, en outre, tenu de se conformer aux obligations mentionnées aux articles L. 162-3 et L. 162-5.

II — Au début du deuxième alinéa de l'article L. 162-8, les mots : « Sous la même réserve » sont supprimés.

III — L'article L. 162-8 du code de la santé publique est complété par les trois nouveaux alinéas ainsi rédigés :

Les catégories d'établissements publics qui sont tenus de disposer des moyens permettant la pratique des interruptions volontaires de la grossesse sont fixées par décret.

Dans les établissements hospitaliers appartenant aux catégories mentionnées à l'alinéa précédent, le conseil d'administration désigne le service dans lequel les interruptions volontaires de la grossesse sont pratiquées.

Lorsque le chef de service concerné refuse d'en assumer la responsabilité, le conseil d'administration doit créer une unité dotée des moyens permettant la pratique des interruptions volontaires de la grossesse.

Article 10 — Les articles 2 et 11 de la loi n° 75-17 du 17 janvier 1975 ainsi que les articles L. 161-1 et L. 650 du code de la santé publique sont abrogés.

Article 11 — I — Dans la première phrase du premier alinéa de l'article 43 du code de la famille et de l'aide sociale les mots : « pendant les six semaines qui précèdent la date présumée de la naissance » sont supprimés.

II — Le premier alinéa du même article est complété par la phrase suivante :

Il en est de même des secours en espèces prévus à l'article 52.

Article 12 — La section II (Prévention de l'avortement) du chapitre 1er du titre II du code de la famille et de l'aide sociale est complétée par un article additionnel 44-1 ainsi rédigé :

Article 44.1 — Des commissions d'aide à la maternité sont mises en place sur l'ensemble du territoire, notamment auprès des centres médico-sociaux ou des bureaux d'aide sociale des grandes villes. Leur composition et leur fonctionnement sont fixés par décret en Conseil d'État ; elles doivent comprendre des personnes qualifiées dans le domaine social et familial, des volontaires et des représentants d'associations d'aide à la famille et à l'enfance.

Article 13 — I — Il est constitué une délégation parlementaire pour les problèmes démographiques. Cette délégation compte vingt-cinq membres : quinze députés et dix sénateurs.

II — Les membres de la délégation sont désignés en leur sein par chacune des deux assemblées du

Parlement de manière à assurer une représentation proportionnelle des groupes politiques.

Les députés membres de la délégation sont désignés au début de la législature pour la durée de celle-ci.

Les sénateurs membres de la délégation sont désignés après chaque renouvellement partiel du Sénat.

Le mandat des délégués prend fin avec le mandat parlementaire.

III — La délégation parlementaire pour les problèmes démographiques a pour mission d'informer les assemblées :

a) Des résultats de la politique menée en faveur de la natalité ;

b) De l'application des lois relatives à la régulation des naissances et à la contraception ;

c) De l'application et des conséquences de la loi relative à l'interruption volontaire de la grossesse.

IV — Le Gouvernement présente chaque année à la délégation un rapport sur les actions mentionnées au paragraphe III ci-dessus ; la délégation formule sur celui-ci des observations et les soumet aux commissions parlementaires compétentes.

V — La délégation définit son règlement intérieur.

La présente loi sera exécutée comme loi de l'État.

N° 2084

ASSEMBLÉE NATIONALE

CONSTITUTION DU 4 OCTOBRE 1958

SEPTIÈME LÉGISLATURE

SECONDE SESSION ORDINAIRE DE 1983-1984

Enregistré à la Présidence de l'Assemblée nationale le 27 mars 1984.
Annexe au procès-verbal de la séance du 3 mai 1984.

PROPOSITION DE LOI

relative à l'interruption volontaire de grossesse.

(Renvoyée à la commission des Affaires culturelles, familiales et sociales, à défaut de constitution d'une commission spéciale dans les délais prévus par les articles 30 et 31 du Règlement.)

PRÉSENTÉE

PAR Mme GISÈLE HALIMI,

Députée.

Avortement. — *Associations et mouvements - Clause de conscience - Femmes - Mineures - Professions et activités médicales.*

EXPOSÉ DES MOTIFS

Mesdames, Messieurs,

Il devient évident — et certains procès récents tels que celui de deux médecins à Nancy en juin 1983, jugés coupables d'avoir enfreint la loi mais néanmoins dispensés de peine, l'ont démontré — que la loi du 17 janvier 1975, relative à l'interruption volontaire de grossesse, a donné et donne encore lieu à de très grandes difficultés d'application.

Elle se révèle d'une part comme quelque peu archaïque (autorisation pour les mineures) et subit d'autre part les conséquences de l'abus de pouvoir de certains « patrons » de médecine, hostiles à l'interruption volontaire de grossesse (clause de conscience).

Elle ne tient pas compte du besoin profond qu'une femme, désirant avorter, a de choisir son médecin (obligation d'utiliser les structures hospitalières ou les cliniques satisfaisant à certaines conditions), ni du caractère inutile et dangereux de certains préalables à l'intervention souvent à l'origine des dépassements des délais (délai de réflexion, dossiers, etc.).

Enfin, le délai de dix semaines — presque unique dans les législations qui admettent l'interruption volontaire de grossesse — est particulièrement court.

SUR LE DROIT POUR LES MINEURES D'OBTENIR L'INTERRUPTION VOLONTAIRE DE GROSSESSE

Les jeunes femmes mineures sont particulièrement concernées par l'interruption volontaire de grossesse. Elles sont en effet plus vulnérables que d'autres car la prise de conscience de leur sexualité est de plus en plus précoce alors qu'elles restent mal informées de la contraception en raison notamment d'une insuffisance notoire de l'information sexuelle à l'âge scolaire. Dans une situation souvent conflictuelle à cet âge, avec les parents, le consentement parental constitue parfois un obstacle infranchissable qui conduit les jeunes mineures à demander une interruption volontaire de grossesse tardive, ou dans des conditions dramatiques.

Or, l'évolution des mœurs est telle qu'une mineure de dix-huit ans est déjà une femme ; les médecins — ainsi que de nombreuses enquêtes — témoignent que l'acte sexuel intervient très tôt. D'ailleurs, la loi du 4 décembre 1974 portant diverses dispositions relatives à la régulation des naissances a abrogé, à la suite d'un large débat au Parlement, la disposition très exceptionnelle de la loi du 28 décembre 1967 qui exigeait une autorisation écrite des mineures pour une prescription médicale faite à des mineures. La prescription des produits contraceptifs par un médecin est donc désormais soumise aux mêmes règles que toute autre prescription de médicaments.

Mais on ne peut pas à la fois donner aux mineures la possibilité d'utiliser les contraceptifs sans autorisation parentale et les renvoyer en cas d'absence ou d'échec de cette contraception, soit en Grande-Bretagne pour les plus favorisées, soit à leur solitude ou vers les avortements clandestins pour les plus démunies. Un des intérêts de la loi de 1975 a été de permettre la quasi-disparition des accidents dus aux avortements clandestins, mais la majorité des accidents qui se produisent encore concernent des mineures.

À ces problèmes d'ordre psychologique et social s'ajoute une contradiction juridique qui fait de l'adolescente une mineure si elle décide d'interrompre sa grossesse, alors qu'elle est jugée suffisamment mûre pour conserver et reconnaître son enfant, signer un acte d'abandon, intenter une action en recherche de paternité. En ce qui concerne le gouvernement des personnes placées sous leur autorité, le principe selon lequel les mineurs peuvent exercer les droits dont la loi leur accorde la jouissance, s'applique sans réserve. C'est

ainsi que le mineur peut, sans avoir besoin d'autorisation ou d'habilitation d'aucune sorte, déterminer
la résidence de la famille conformément à l'article
215 du Code civil et exercer les attributs de l'autorité parentale relatifs à la personne. Dès lors, si la
naissance de l'enfant confère à la femme la capacité
juridique, il convient de la lui reconnaître dès la
conception en supprimant la nécessité de l'autorisation parentale pour l'interruption volontaire de
grossesse.

La présomption d'irresponsabilité pénale peut
être écartée à l'égard du mineur de treize à dix-huit
ans ayant commis un crime ou un délit. L'article 2
de l'ordonnance du 2 février 1945 dispose en outre
que l'excuse atténuante de minorité peut être
écartée à l'égard d'un mineur de seize à dix-huit ans
et il est alors prononcé envers lui la même peine
que s'il était majeur pénal. De même, les mineurs
peuvent dès l'âge de seize ans faire seuls leur testa-
ment. Ils peuvent refuser que tout prélèvement
d'organes soit opéré sur eux. Dès seize ans, les
mineurs peuvent — sans autorisation — adhérer à
un syndicat professionnel, se faire ouvrir un livret
de Caisse d'épargne et retirer les sommes figurant à
ce livret.

La loi doit nécessairement être en harmonie avec
les mœurs. Certains actes revêtent un caractère si
intime et touche de si près à l'intégrité physique et
morale de la personne ou à son état juridique qu'on
ne conçoit même pas qu'ils puissent être décidés
par un autre que l'intéressé lui-même.

Il est donc logique que ce qui est légal pour une femme majeure le soit aussi pour une mineure.

Certes, les textes en vigueur ont prévu un palliatif : à défaut de consentement parental, le juge des enfants peut intervenir dans le cadre de l'assistance éducative mais il ne faut pas se dissimuler que cette disposition a souvent eu comme conséquence de dramatiser une situation familiale où les relations parents-enfants ne permettent plus le moindre dialogue. Enfin, cette disposition pose une fois de plus le problème de dépassement du délai légal car il est notoire que les mineures, désemparées, dissimulent leur état à leurs parents et à leur entourage le plus longtemps possible.

SUR L'ABUS DE LA CLAUSE DE CONSCIENCE

Certains professeurs de médecine et chefs de service des hôpitaux, militants du retour à la loi de 1920, ne se contentent point de refuser simplement de pratiquer les avortements. Ils n'hésitent pas à peser du poids de leur notoriété, de leur autorité scientifique, de leur rôle de notables dans certaines villes pour interdire — quelquefois même ouvertement — à tous ceux et celles qui leur sont hiérarchiquement soumis (internes, médecins, etc.) la pratique de l'interruption volontaire de grossesse.

Les exemples sont nombreux dans toute la France.

Cet abus de la clause de conscience renvoie, dans certaines régions, les femmes à l'avortement illégal (procès de Nancy) ou au départ en Angleterre, ou encore, pour les plus défavorisées, à l'avortement clandestin de « faiseuses d'anges ».

Le droit doit être respecté. L'abus du droit, sanctionné. En cette matière, plus qu'en tout autre, s'agissant de la vie et de la santé des femmes. D'où la nécessité de prévoir le délit de détournement de clause de conscience.

SUR LA PRATIQUE DE L'INTERRUPTION VOLONTAIRE DE GROSSESSE EN CABINET

(Structures légères.)

Les établissements hospitaliers publics et privés, habilités à pratiquer des interruptions volontaires de grossesse, connaissent en cette matière un fonctionnement déplorable.

Le sous-équipement en personnel et en matériel d'une part, la paralysie de certains établissements due à la volonté des « patrons » d'autre part, en sont à l'origine.

Mais le problème, d'importance, est posé dans l'accueil des femmes ayant satisfait aux conditions légales. Souvent encore culpabilisées, ne souhaitant pas (notamment dans les petites villes, où l'anonymat est un leurre) se heurter aux formalités d'entrée dans un hôpital ou une clinique, éprouvant par-dessus tout le besoin de choisir l'homme ou la femme médecin qui dialoguera avec elle et pratiquera éventuellement l'intervention, la femme pâtit de l'obligation d'avoir recours aux établissements prévus par la loi de 1975.

Alors que le médecin, aux yeux de la loi comme de la déontologie, *a le droit absolu, sous sa seule responsabilité, de pratiquer dans son cabinet tous les actes médicaux et toutes les interventions chirurgicales, l'interruption volontaire de grossesse, seule, lui est interdite.*

Cette exception est lourde de signification.

Elle dénonce les interdits qui frappent encore les femmes dans leur droit de disposer d'elles-mêmes. Elle demeure le signe anachronique mais vivace de la volonté traditionnelle d'aliéner la femme de son pouvoir sur elle-même et, partant, de son droit de choisir le temps, le lieu et le praticien de son interruption volontaire de grossesse. Aux États-Unis, des millions d'avortements sont pratiqués chaque année en cabinet, dans des structures légères (centres de santé + cabinets) et avec toutes les garanties de prophylaxie et de sécurité pour les femmes.

Le coefficient de dangerosité est infime : 0,0003 %. Pratiquée précocement (six à dix semaines), l'interruption volontaire de grossesse en cabinet permet sans nul doute une meilleure administration de la « santé hospitalière », en même temps que le respect du droit fondamental pour la femme de choisir.

SUR L'ARTICLE 317 DU CODE PÉNAL

Il est enfin temps de l'abroger explicitement.

Nous vous demandons, Mesdames, Messieurs, de bien vouloir adopter la présente proposition de loi.

PROPOSITION DE LOI

Article premier.

Toute femme a le droit d'obtenir, sur sa demande, l'interruption de sa grossesse ainsi que tous les actes médicaux et autres qui lui sont éventuellement liés, sans aucune condition d'âge, de nationalité ou de durée de résidence en France.

Article 2.

L'État assure l'information la plus large sur les risques d'une interruption volontaire de grossesse tardive et sur toutes les formes de contraception ; il soutient les associations et organismes qui y contribuent.

Article 3.

L'interruption volontaire de grossesse est autorisée jusqu'à la fin de la douzième semaine de grossesse. La femme devra, au préalable, consulter un organisme agréé pour un large entretien.

L'interruption volontaire d'une grossesse peut, à toute époque, être pratiquée si deux médecins attestent, après examen et discussion, que la poursuite de la grossesse met en péril grave la santé de la femme et qu'il existe une forte probabilité que l'enfant à naître soit atteint d'une affection d'une particulière gravité reconnue comme incurable au moment du diagnostic.

Article 4.

L'interruption volontaire de grossesse doit être pratiquée par un médecin. Elle ne peut avoir lieu que dans un établissement d'hospitalisation public ou dans un établissement d'hospitalisation privé satisfaisant aux dispositions de l'article L. 176 du Code de la santé publique.

Toutefois, avant la fin de la huitième semaine de grossesse, l'interruption volontaire peut être pratiquée dans un cabinet médical s'il satisfait à des normes de sécurité fixées par décret.

Article 5.

Tout médecin qui refuse de pratiquer une interruption volontaire de grossesse doit en informer l'intéressée dès sa première visite et lui remettre la liste à jour des établissements et cabinets médicaux où sont effectuées les interruptions volontaires de grossesse.

Les médecins qui invoquent la clause de conscience pour ne pas pratiquer l'interruption volontaire de grossesse le font connaître à la Direction départementale de l'action sanitaire et sociale de leur lieu d'exercice. Celle-ci en publie la liste et la tient à jour par des enquêtes périodiques.

Article 6.

La clause de conscience est strictement personnelle et ne peut avoir pour conséquence d'empêcher l'application de l'article 3.

Par dérogation aux dispositions de l'article L. 798 du Code de la santé publique, la responsabilité d'une interruption volontaire de grossesse incombe exclusivement au médecin qui la pratique.

Article 7.

Quiconque aura par menaces, promesses, manœuvres, ou tous actes de pression morale ou physique obtenu ou tenté d'obtenir d'un médecin qu'il pratique ou refuse de pratiquer une interruption volontaire de grossesse sera puni d'une peine d'emprisonnement de un an à cinq ans ou d'une amende de 1 800 à 100 000 F.

Si l'auteur de l'infraction jouit d'une autorité hiérarchique ou morale, la peine sera doublée.

Article 8.

Les interruptions volontaires de grossesse nécessitant une anesthésie générale doivent être pratiquées dans les établissements mentionnés au premier alinéa de l'article 4.

Article 9.

Le consentement d'une des personnes exerçant l'autorité parentale ou du représentant légal n'est pas requis pour l'interruption volontaire de grossesse pratiquée sur la personne d'une mineure, y compris en cas d'hospitalisation.

Toutefois, dans ce dernier cas, la mineure devra déclarer par écrit, avoir eu connaissance des conséquences éventuelles d'une anesthésie générale.

Article 10.

L'article 317 du Code pénal, la loi n° 75-17 du 17 janvier 1975 relative à l'interruption volontaire de grossesse et la loi n° 79-1204 du 31 décembre 1979 relative à l'interruption volontaire de grossesse sont abrogés en leurs dispositions contraires à la présente loi.

Article 11.

Les dépenses susceptibles de résulter de l'application de la présente loi sont compensées par une majoration, à due concurrence, des droits sur les tabacs et alcools.

LÉGISLATIONS CONCERNANT L'AVORTEMENT

Pays	Lois	Conditions	Délais	Remboursement	Observations
AUTRICHE	Loi 23-1-1974 (effective en janvier 1975)	– demande de la femme – consultation d'un médecin – autorisation parentale pour les mineures (moins de 14 ans)	12 semaines		– clause de conscience* – I.V.G. thérapeutique : allongement des délais
BELGIQUE	Loi 4-4-1990	– si le médecin juge que la femme est en « état de détresse »	12 semaines		– l'interdiction totale (loi de 1867) est levée
BULGARIE	Loi février 1990	– demande de la femme – obligation du médecin d'assurer l'anesthésie et d'informer sur la contraception	12 semaines	gratuit (motifs médicaux)	– I.V.G. thérapeutique** : allongement des délais – législation très libérale
CANADA	Vide juridique (abrogation en janvier 1988 de la loi de 1969 par la Cour Suprême)	– pour motifs thérapeutiques** seulement			– projet de loi en cours (voté seulement par la Chambre Basse en novembre 1989)
DANEMARK	Loi 13-6-1973	– demande de la femme – autorisation parentale pour les mineures (moins de 18 ans)	12 semaines	remboursé	– obligation pour l'hôpital local de recevoir la femme demandeuse jusqu'au premier trimestre – I.V.G. thérapeutique** : autorisation d'une commission et délais plus longs
ESPAGNE	Loi 5-7-1985	– pour motifs thérapeutiques** seulement : ↑ viol déclaré ↑ risques pour la santé de la femme avec avis médical ↑ eugénisme : avec deux avis médicaux	12 semaines sans limites 22 semaines	gratuit (secteur public) payant (secteur privé)	– clause de conscience*

LÉGISLATIONS CONCERNANT L'AVORTEMENT

Pays	Lois	Conditions	Délais	Remboursement	Observations
ÉTATS-UNIS	Décision de la Cour Suprême, juillet 1989 (remise en question de la loi libérale de 1973)	– chaque État a la possibilité de restreindre l'accès aux I.V.G.			– conflit entre l'administration Bush (hostile à l'avortement) et les deux assemblées (Congrès et Sénat : forte proportion de partisans de « Pro Choice ») – discussion par le Congrès d'un projet de loi revenant à la législation de 1973
FINLANDE	Lois 1970, 1978, 1985	– recommandation de deux médecins – motifs sociaux, risque pour la santé mentale de la femme, viol	12 semaines		– I.V.G. thérapeutique** : allongement des délais – avortement illégal rare
FRANCE	Lois 17-1-1975 et 31-12-1979	– demande de la femme – consultation d'un médecin et entretien social – autorisation parentale pour les mineures (moins de 18 ans)	10 semaines	remboursé (80 %)	– clause de conscience* – I.V.G. thérapeutique** : certificat de 2 médecins experts près des tribunaux et délais plus longs
GRÈCE	Loi 28-6-1986	– demande de la femme – autorisation parentale pour les mineures	12 semaines	gratuit (secteur public) payant (secteur privé)	– I.V.G. thérapeutique** : allongement des délais
HONGRIE	Ordonnance 23-7-1988	– demande écrite – entretien social – mauvaises conditions de vie	12 semaines		– I.V.G. thérapeutique** et pour les mineures : allongement des délais – libéralisation de la législation de 1974
IRLANDE	Loi de 1861 renforcée par : amendement de 1983	– avortement interdit			– l'arrivée à la présidence de la République (novembre 1990) de Mary Robinson, avocate et féministe, permettra-t-elle un changement de législation ?

LÉGISLATIONS CONCERNANT L'AVORTEMENT

Pays	Lois	Conditions	Délais	Remboursement	Observations
ITALIE	Loi 22-5-1978	– motifs sociaux et médico-sociaux – consultation d'un médecin (avec certificat médical, entretien social et délai de réflexion de 7 jours – autorisation parentale ou d'un juge pour les mineures	90 jours	gratuit	– clause de conscience* – I.V.G. thérapeutique** : allongement des délais – avortements illégaux encore nombreux
LUXEMBOURG	Loi 15-11-1978	– motifs sociaux et médico-sociaux – consultation d'un médecin (avec certificat médical) et délai de réflexion de 7 jours	12 semaines	remboursé	– clause de conscience* – I.V.G. thérapeutique** : allongement des délais
NORVÈGE	Loi 16-6-1978	– demande de la femme – consultation de deux médecins	12 semaines	gratuit	– clause de conscience*, mais obligation d'assurer les soins pré et post-opératoires – I.V.G. thérapeutique** : allongement des délais
PAYS-BAS	Loi 1-5-1981 (application en 1984)	– « situation intolérable » à définir par la femme et son médecin – délai de réflexion de 5 jours – autorisation parentale pour les mineures (moins de 18 ans)	24 semaines	remboursé (sauf pour les non-résidentes)	– interprétation très libérale de la loi
POLOGNE	Loi 1957 complétée par : décrets 1979, 1981	– motifs socio-économiques – autorisation parentale pour les mineures (moins de 18 ans)	12 semaines	gratuit (hôpitaux publics)	– I.V.G. thérapeutique** : allongement des délais – projet de loi en discussion, réduisant l'I.V.G. aux motifs thérapeutiques et remettant en question la législation libérale en vigueur

LÉGISLATIONS CONCERNANT L'AVORTEMENT

Pays	Lois	Conditions	Délais	Remboursement	Observations
PORTUGAL	Loi 11-5-1984	– pour motifs thérapeutiques** seulement – autorisation parentale pour les mineurs – avis favorable de deux médecins	12 semaines	gratuit	– clause de conscience* – eugénisme : allongement des délais
RÉPUBLIQUE DÉMOCRATIQUE ALLEMANDE	Loi 9-3-1972	– demande de la femme – entrevue avec un médecin – autorisation parentale pour les mineurs	12 semaines	gratuit	– I.V.G. thérapeutique** : consentement d'une commission médico-psychologique et délais plus longs jusqu'en 1992, chaque Allemagne conservera sa législation : libérale en R.D.A., répressive en R.F.A.
RÉPUBLIQUE FÉDÉRALE ALLEMANDE	Loi 18-5-1976	– pour motifs thérapiques** seulement : ↑ viol (autorisation d'un médecin) ↑ risques médicaux, socio-psychiatriques (entretien social) .... ↑ eugénisme (en rretien et 3 jours de délai)	12 semaines sans limites 22 semaines	gratuit (pour assurées sociales et bénéficiaires de l'aide sociale)	– clause de conscience*
ROUMANIE	Ordonnance 26-12-1989 du Ministère de la Santé	– demande de la femme	12 semaines		– I.V.G. thérapeutique** : allongement des délais – les anciennes lois restrictives ont été abolies le lendemain du soulèvement populaire
ROYAUME-UNI	Loi 17-10-1967 Amendement 24-4-1990	– motifs sociaux, soci-médicaux, socio-économiques – consentement de deux médecins – autorisation parentale ou d'un travailleur social pour les mineurs (moins de 16 ans)	24 semaines	gratuit	– I.V.G. thérapeutique** : pas de limites

LÉGISLATIONS CONCERNANT L'AVORTEMENT

Pays	Lois	Conditions	Délais	Remboursement	Observations
SUÈDE	Loi 14-6-1974	– demande de la femme – consultation médicale – accord du Bureau national de santé	18 semaines +18 semaines	gratuit	– pas d'avortements illégaux
SUISSE	Code pénal Art. 118-121 1-1-1942	– pour motifs thérapeutiques** seulement – consentement de deux médecins spécialement accrédités	jusqu'à la viabilité du fœtus	remboursé en totalité ou partiellement	– certains cantons ont suivi la volonté populaire (exprimée en 1977) et ont libéralisé la pratique de l'I.V.G.
TCHÉCO-SLOVAQUIE	Loi 23-10-1986 (effective en janvier 1987)	– demande de la femme – avis d'un médecin et er tretien social obligatoire – autorisation parentale pour les mineures (moins de 16 ans)	12 semaines	gratuit (jusqu'à 8 semaines)	– I.V.G. thérapeutique** : allongement des délais et gratuité
TURQUIE	Loi 24-5-1973	– demande de la femme – consentement marital nécessaire – autorisation parentale pour les mineures	10 semaines		– I.V.G. thérapeutique** : rapport de deux spécialistes
U.R.S.S.	Décision gouvernementale 23-11-1955 (abrogation restrictions)	– demande de la femme	12 semaines		– I.V.G. thérapeutique** : allongement des délais et gratuité
YOUGOSLAVIE	Constitution fédérale 1977 (art. 191)	– demande de la femme – autorisation parentale pour les mineures	10 semaines	gratuit pour affiliées à la Sécurité sociale	– I.V.G. thérapeutique** : allongement des délais avec autorisation d'une commission

* Clause de conscience : elle permet au médecin et au personnel hospitalier de refuser de pratiquer une I.V.G.

** Avortement pour motifs thérapeutiques :
– cas de crimes sexuels (viol, inceste)
– risques pour la vie et la santé physique ou mentale de la mère
– risques de malformation ou de maladie du fœtus (eugénisme)

Sources des informations : *Le Planning familial en Europe*, vol. 18, n° 1, printemps 1989 et Supplément, octobre 1990
Journal de l'Union Suisse pour décriminaliser l'avortement (U.S.P.D.A.)

Viol

Loi n° 80-1041 du 23 décembre 1980
relative à la répression du viol
et de certains attentats aux mœurs

(*J.O.* 24 décembre 1980)

Art. 1er — I. — L'article 332 du code pénal est
rédigé ainsi qu'il suit :

« *Art.* 332. — Tout acte de pénétration sexuelle,
de quelque nature qu'il soit, commis sur la personne
d'autrui, par violence, contrainte ou surprise,
constitue un viol.

« Le viol sera puni de la réclusion criminelle à
temps de cinq à dix ans.

« Toutefois, le viol sera puni de la réclusion criminelle à temps de dix à vingt ans lorsqu'il aura été
commis soit sur une personne particulièrement vulnérable en raison d'un état de grossesse, d'une
maladie, d'une infirmité ou d'une déficience physique ou mentale, soit sur un mineur de quinze ans,
soit sous la menace d'une arme, soit par deux ou
plusieurs auteurs ou complices, soit par un ascendant légitime, naturel ou adoptif de la victime ou
par une personne ayant autorité sur elle ou encore
par une personne qui a abusé de l'autorité que lui
confèrent ses fonctions. »

II. — L'article 333 du code pénal est rédigé ainsi qu'il suit :

« *Art.* 333. — Tout autre attentat à la pudeur commis ou tenté avec violence, contrainte ou surprise sur une personne autre qu'un mineur de quinze ans sera puni d'un emprisonnement de trois ans à cinq ans et d'une amende de 6 000 F à 60 000 F ou de l'une de ces deux peines seulement.

« Toutefois, l'attentat à la pudeur défini à l'alinéa premier sera puni d'un emprisonnement de cinq ans à dix ans et d'une amende de 12 000 F à 120 000 F ou de l'une de ces deux peines seulement lorsqu'il aura été commis ou tenté soit sur une personne particulièrement vulnérable en raison d'une maladie, d'une infirmité ou d'une déficience physique ou mentale ou d'un état de grossesse, soit sous la menace d'une arme, soit par un ascendant légitime, naturel ou adoptif de la victime ou par une personne ayant autorité sur elle, soit par deux ou plusieurs auteurs ou complices, soit encore par une personne qui a abusé de l'autorité que lui confèrent ses fonctions. »

III. — L'article 331 du code pénal est rédigé ainsi qu'il suit :

« *Art.* 331. — Tout attentat à la pudeur commis ou tenté sans violence ni contrainte ni surprise sur la personne d'un mineur de quinze ans sera puni d'un emprisonnement de trois ans à cinq ans et d'une amende de 6 000 F à 60 000 F ou de l'une de ces deux peines seulement.

« Sans préjudice des peines plus graves prévues

par l'alinéa précédent ou par l'article 332 du présent code, sera puni d'un emprisonnement de six mois à trois ans et d'une amende de 60 F à 20 000 F quiconque aura commis un acte impudique ou contre nature avec un individu mineur du même sexe.

« Toutefois, l'attentat à la pudeur sur la personne d'un mineur de quinze ans sera puni d'un emprisonnement de cinq ans à dix ans et d'une amende de 12 000 F à 120 000 F ou de l'une de ces deux peines seulement lorsqu'il aura été commis ou tenté soit avec violence, contrainte ou surprise, soit par un ascendant légitime, naturel ou adoptif de la victime ou par une personne ayant autorité sur elle, soit par deux ou plusieurs auteurs ou complices, soit encore par une personne qui a abusé de l'autorité que lui confèrent ses fonctions. »

IV. — Il est inséré dans le code pénal, après l'article 331, un article 331-1 rédigé ainsi qu'il suit :

« *Art.* 331-1. — Tout attentat à la pudeur sur la personne d'un mineur âgé de plus de quinze ans et non émancipé par le mariage commis ou tenté, sans violence ni contrainte ni surprise, par un ascendant légitime, naturel ou adoptif de la victime ou par une personne ayant autorité sur elle, ou encore par une personne qui a abusé de l'autorité que lui confèrent ses fonctions, sera puni d'un emprisonnement de six mois à trois ans et d'une amende de 2 000 F à 20 000 F ou de l'une de ces deux peines seulement. »

V. — L'alinéa 2 de l'article 330 du code pénal est supprimé.

VI. — Il est inséré dans le code pénal, après l'article 333, un article 333-1 rédigé ainsi qu'il suit :

« *Art.* 333-1. — Tout attentat à la pudeur précédé ou accompagné de tortures ou d'actes de barbarie sera puni de la réclusion criminelle à perpétuité. »

Art. 2. — Il est ajouté à la fin de l'article 378 du code pénal un nouvel alinéa ainsi rédigé :

« N'encourt pas les peines prévues à l'alinéa 1er tout médecin qui, avec l'accord de la victime porte à la connaissance du procureur de la République les sévices qu'il a constatés dans l'exercice de sa profession et qui lui permettent de présumer qu'un viol ou un attentat à la pudeur a été commis. »

Art. 3. Il est inséré dans le code de procédure pénale un article 2-2 ainsi rédigé :

« *Art.* 2-2. — Toute association régulièrement déclarée depuis au moins cinq ans à la date des faits, dont l'objet statutaire comporte la lutte contre les violences sexuelles, peut exercer les droits reconnus à la partie civile, en ce qui concerne les infractions prévues par les articles 332, 333 et 333-1 du code pénal. Toutefois, l'association ne sera recevable dans son action que si elle justifie avoir reçu l'accord de la victime ou, si celle-ci est mineure, celui du titulaire de l'autorité parentale ou du représentant légal. »

Art. 4. — Il est inséré dans l'article 306 du code de

procédure pénale, après le deuxième alinéa, un nouvel alinéa rédigé ainsi qu'il suit :

« Lorsque les poursuites sont fondées sur les articles 332 ou 333-1 du code pénal, le huis-clos est de droit si la victime partie civile ou l'une des victimes parties civiles le demande ; dans les autres cas, le huis-clos ne peut être ordonné que si la victime partie civile ou l'une des victimes parties civiles ne s'y oppose pas. »

Art. 5. — Il est ajouté, dans la loi du 29 juillet 1881 sur la liberté de la presse, après l'article 39 *quater*, un article 39 *quinquies* ainsi rédigé :

« *Art.* 39 quinquies. — La publication et la diffusion d'informations sur un viol ou un attentat à la pudeur par quelque moyen d'expression que ce soit ne doit en aucun cas mentionner le nom de la victime ou faire état de renseignements pouvant permettre son identification à moins que la victime n'ait donné son accord écrit.

« Toute infraction aux dispositions du présent article sera punie d'une amende de 6 000 F à 20 000 F et d'un emprisonnement de deux mois à deux ans ou de l'une de ces deux peines seulement. »

TRAVAUX PRÉPARATOIRES

Sénat :

Proposition de loi n° 324 (1977-1978) ; Rapport de M. Tailhades, au nom de la commission des lois, n° 442 (1977-1978) ; Avis de la commission des affaires sociales n° 467 (1977-1978) ; Discussion et adoption le 28 juin 1978.

Assemblée nationale :

Proposition de loi, adoptée par le Sénat, n° 474 et propositions de loi n⁰ˢ 271-273 rectifiées (441-1233) ; Rapport de M. Massot, au nom de la commission des lois (n° 1400) ; Discussion et adoption le 11 avril 1980.

Sénat :

Proposition, modifiée par l'Assemblée nationale, n° 208 (1979-1980) ; Rapport de M. Tailhades, au nom de la commission des lois, n° 242 (1979-1980) ; Discussion et adoption le 22 mai 1980.

Assemblée nationale :

Proposition de loi, adoptée avec modification par le Sénat en deuxième lecture (n° 1732) ; Rapport de M. Massot, au nom de la commission des lois (n° 1816) ; Discussion et adoption le 24 juin 1980.

Sénat :

Proposition de loi, modifiée par l'Assemblée nationale en deuxième lecture, n° 337 (1979-1980) ; Rapport de M. Tailhades, au nom de la commission des lois, n° 27 (1980-1981) ; Discussion et adoption le 16 octobre 1980.

Assemblée nationale :

Proposition de loi, adoptée avec modifications

par le Sénat en troisième lecture (n° 1992) ; Rapport de M. Massot, au nom de la commission des lois
(n° 2029) ; Discussion et adoption le 19 novembre
1980.

N° 2022

ASSEMBLÉE NATIONALE

CONSTITUTION DU 4 OCTOBRE 1958

SEPTIÈME LÉGISLATURE

SECONDE SESSION ORDINAIRE DE 1983-1984

Enregistré à la Présidence de l'Assemblée nationale le 27 mars 1984.
Annexe au procès-verbal de la séance du 12 avril 1984.

PROPOSITION DE LOI

interdisant les enquêtes de « moralité » sur les victimes de viol et de certains attentats aux mœurs.

(Renvoyée à la commission des Lois constitutionnelles, de la Législation et de l'Administration générale de la République à défaut de constitution d'une commission spéciale dans les délais prévus par les articles 30 et 31 du Règlement.)

PRÉSENTÉE

PAR Mme GISÈLE HALIMI,

Députée.

Mœurs. — *Crimes et délits - Enquête de moralité - Viol - Violences et voies de fait - Code de procédure pénale.*

EXPOSÉ DES MOTIFS

Mesdames, Messieurs,

Si la violence suscite l'inquiétude et la réprobation générale, il est néanmoins des actes de violence que notre société tolère plus que d'autres.

En 1979, sur les 1 695 viols qui ont fait l'objet d'une plainte transmise au Parquet, seulement 435 (viols sur adultes et viols sur mineurs) ont été jugés devant les assises. Les autres cas ont été incriminés devant les tribunaux correctionnels comme simples délits d'« outrage public à la pudeur » ou de « coups et blessures ».

La loi du 23 décembre 1980 relative à la répression du viol et de certains attentats aux mœurs avait pour objectif d'assurer une répression plus effective des attentats de nature sexuelle, en supprimant notamment les discriminations tenant au sexe de l'auteur et de la victime des faits.

Le résultat atteint est tout différent, en particulier parce que l'efficacité de la répression dépend largement des mentalités de ceux qui appliquent la loi. Or, les mentalités n'ont pas suivi les textes.

La correctionnalisation judiciaire, encore trop fréquente, manifeste la réticence des juges à admettre qu'une femme ait pu être violée sans avoir une certaine part de responsabilité dans sa mésaventure.

Cette réticence des juges, on la retrouve dans la pratique des enquêtes de police effectuées sur les victimes de viol et autres agressions sexuelles.

En effet, parallèlement à l'enquête sur la personnalité de l'inculpé, ainsi que sur sa situation matérielle, familiale ou sociale, prévue à l'article 81, alinéa 6, du Code de procédure pénale, une enquête de police, qu'aucun texte n'exige expressément, est toujours effectuée pour déterminer si la conduite antérieure des victimes ne les a pas incitées à commettre une « imprudence ». Cette symétrie entre le sort de l'inculpé et celui de la victime, tous deux soumis à une enquête, à la fois inutile et traumatisante en ce qui concerne les victimes, montre la complaisance qui entoure encore la majorité des cas de viols et d'agressions.

L'enquête de police effectuée sur la victime s'inscrit en fait dans une pratique judiciaire où la présomption d'innocence joue pleinement en faveur de l'inculpé, la victime étant au contraire présumée coupable, ou pour le moins suspecte. D'une femme violée, on attend qu'elle prouve sa propre résistance à l'agresseur et son défaut de consentement. De plaignante, elle devient accusée, soumise aux alléga-

tions sarcastiques de policiers, de juges ou d'avocats.

L'enquête de police sur les victimes procède
d'une suspicion inacceptable[1] qui dénote la persis-
tance d'une mentalité agressive contre la femme et
niant son autonomie. L'enquête met l'inculpé et la
victime sur le même plan. Il s'agit en réalité d'une
complaisance, dégradante pour les victimes, comme
si l'on hésitait encore à considérer le viol comme un
crime.

En outre, l'enquête de police aboutit souvent à
faire peser une présomption particulière de consentement ou d'invite sur les femmes suspectées de
légèreté ou de provocation (par exemple les prosti-
tuées). Elle établit ainsi, de façon sournoise, une
sorte de hiérarchie entre les victimes en fonction de
leur vie privée et de leur conduite, ce qui revient à
nier l'acte de viol lui-même, individualisé comme
blessure morale et physique pour toute femme,
quelles que soient sa vie et ses choix.

Cette suspicion permanente à l'égard des victimes
engendre un sentiment de culpabilité et augmente
leur désarroi. Comment accepter, en effet, que les
victimes soient obligées d'expliquer leur vie dans ce
qu'elle a de plus intime et de plus personnel ? Elles
doivent se justifier, ajoutant au traumatisme subi
une solitude profonde devant l'incompréhension,

---

1. L'enquête recouvre en effet une même réalité quelle que
soit sa dénomination : enquête de personnalité, de moralité, de
crédibilité, enquête familiale ou sociale.

le doute, la méfiance, voire le mépris des autres. Dans ces conditions, il est facile de concevoir qu'une victime préfère le silence, sans espoir d'oubli pour autant, plutôt que d'être contrainte à ce nouveau viol, celui de sa vie privée.

L'enquête de police augmente douloureusement (et inutilement) le parcours des victimes qui décident de se constituer partie civile.

Elles doivent en effet subir des examens médicaux aussitôt que possible après le viol dans des conditions qui aggravent bien souvent le choc déjà ressenti par elles.

Avant le jugement, elles doivent également se soumettre à nombre d'interrogatoires et de confrontations, tant au stade de l'enquête qu'à celui de l'information qui peut durer de longs mois, voire des années. Et encore ne sont-elles jamais assurées après toutes ces démarches d'obtenir la condamnation de leur agresseur et le versement de dommages et intérêts.

On ne s'étonnera donc pas qu'une victime de viol sur sept ou huit seulement dépose une plainte.

Ces enquêtes policières sur la vie et la moralité de la victime, contribuent donc à la dissuader de porter plainte ou, lorsqu'elle a le courage de le faire, à lui en faire, d'une certaine manière, payer le prix. Elles sont donc à la fois indécentes et inutiles au regard des objectifs de prévention et de répression du viol.

Dans un pays qui proclame, par sa Constitution, l'égalité des hommes et des femmes et qui prétend garantir à chacun sa liberté et son intégrité, il convient de mettre fin à ce qui, dans la pratique, menace la dignité et la sécurité des femmes.

Dans cet esprit, la présente proposition de loi prévoit d'exclure expressément la possibilité pour le juge d'instruction d'ordonner des enquêtes de moralité sur les victimes de viols ou d'attentats à la pudeur. Elles sont actuellement décidées sur la seule base de l'article 81, alinéa premier du Code de procédure pénale, qui dispose :

« Le juge d'instruction procède, conformément à la loi, à tous les actes d'information qu'il juge utiles à la manifestation de la vérité. »

Or, les enquêtes tendant à établir la bonne ou la mauvaise moralité d'une victime de violences sexuelles ne peuvent en rien aider à la manifestation de la vérité.

Il n'y a en aucun cas lien de cause à effet entre les choix personnels de vie de cette victime et la réalité du crime s'il existe.

De la même manière, même condamnable aux yeux des « bonnes mœurs », la vie d'une victime de viol ne saurait être un facteur de nature à faire bénéficier son agresseur de circonstances atténuantes. Il y va d'un principe du droit de chaque homme et de chaque femme à son intégrité physique et morale et cela, quelles que soient les circonstances.

La Constitution comme la Déclaration des droits de l'homme nous le rappelle opportunément.

Ces enquêtes qui ne constituent donc qu'un traumatisme supplémentaire pour les victimes doivent donc être interdites.

C'est la raison pour laquelle nous vous demandons, mesdames, messieurs, de bien vouloir adopter la présente proposition de loi.

PROPOSITION DE LOI

Article unique.

Après l'article 81 du Code de procédure pénale, est inséré le nouvel article suivant :

« *Art 81* bis. — La victime des crimes et délits prévus par les articles 330 à 333-1 du Code pénal, ne peut faire l'objet d'une enquête de moralité portant sur sa vie privée. »

ASSEMBLÉE NATIONALE

CONSTITUTION DU 4 OCTOBRE 1958

SEPTIÈME LÉGISLATURE

SECONDE SESSION ORDINAIRE DE 1983-1984

Enregistré à la Présidence de l'Assemblée nationale le 27 mars 1984.
Annexe au procès-verbal de la séance du 12 avril 1984.

PROPOSITION DE LOI

sur la transmission des **noms patronymiques.**

(Renvoyée à la commission des Lois constitutionnelles, de la Législation et de l'Administration générale de la République à défaut de constitution d'une commission spéciale dans les délais prévus par les articles 30 et 31 du Règlement.)

PRÉSENTÉE

PAR Mme GISÈLE HALIMI,

Députée.

Etat civil. — *Enfants · Mariage · Noms.*

Nom

EXPOSÉ DES MOTIFS

Mesdames, Messieurs,

La France figure parmi les pays européens où le principe quasi absolu de transmission du nom aux enfants par le père est en vigueur. Cela, sans doute, en réponse à l'aphorisme napoléonien : « À qui appartient le fruit, au jardinier ou à la terre ? »

Dans le cadre du mariage, seul le père peut transmettre son nom aux enfants communs. Ce principe consacre la primauté du droit patriarcal.

Pour les enfants naturels, c'est le parent qui reconnaît l'enfant en premier qui lui donne son nom. Mais la transmission du nom du père est favorisée par la procédure de substitution de nom prévue à l'article 334-3 du Code civil.

Les règles législatives conduisent donc à une prééminence du nom du père que vient renforcer la jurisprudence la plus récente. En effet, dans l'arrêt du 16 novembre 1982, la première chambre civile de la Cour de cassation a estimé que l'article 334-3

du Code civil ne saurait permettre à l'enfant
d'ajouter un des noms, paternel ou maternel, à
l'autre. Sauf le cas d'adoption simple, le nom patro-
nymique découlant de la filiation est donc celui
d'un seul des parents.

La loi du 3 janvier 1972 sur la filiation, abrogeant
la loi du 3 janvier 1952 qui prévoyait expressément
en son article 2 la possibilité d'addition de noms,
n'a laissé subsister dans sa rédaction que la notion
de substitution. Cependant, l'exégèse des textes
ainsi que les travaux préparatoires de la loi du
3 janvier 1972 montrent que le législateur a sou-
haité des solutions aussi souples que possible.

À ces arguments, la Cour de cassation répond
qu'en l'absence de précision formelle des textes, on
ne peut ouvrir à l'enfant naturel une possibilité qui
n'appartient pas à l'enfant légitime, qui ne peut
joindre le patronyme de la mère à celui du père.
Mais l'objection ne disparaîtrait-elle pas si la loi
admettait que les parents légitimes peuvent décider
lequel de leurs deux noms sera attribué à l'enfant
ou choisir de lui attribuer le double nom ? Le nom
est un attribut important de la personnalité, un
mode d'identification de l'individu. Il semble donc
plus juste de laisser à celui-ci la plus grande liberté
et de lui permettre de porter le nom de ses deux
parents. L'identification est ainsi plus complète
puisque le double rattachement est marqué.

Le fait de transmettre le nom du père à tous les
membres de sa famille et notamment aux enfants a
pour effet désastreux de supprimer à chaque géné-

ration un nom de femme. Si la femme est la dernière du nom, celui-ci disparaît, ce qui est à
l'encontre du but de l'institution des noms de
famille.

De plus, l'unicité du nom des époux équivaut à
l'annihilation du conjoint — en général la
conjointe — qui perd son nom. Elle a également
pour effet de créer, en ce qui concerne la femme
mariée, une situation de dépendance psychologique
et, à l'égard de ses responsabilités professionnelles,
politiques ou artistiques, une absence d'autonomie.

Quels que soient les arguments que l'on avance
pour justifier un principe qui s'est lentement institué au cours des siècles, on peut effectivement se
demander si ce principe n'est pas contraire à celui
de l'égalité des sexes qui est consacré dans le préam-
bule de la Constitution de 1946 (« La loi garantit à la
femme dans tous les domaines des droits égaux à
ceux de l'homme »), et à l'usage qui permet à chacun
d'utiliser le nom de son conjoint.

De nombreux pays européens ont déjà pris
conscience des discriminations inscrites dans leurs
lois et ont modifié leur législation dans ce domaine.

En Espagne, depuis fort longtemps, l'enfant peut
prendre le nom du père ou de la mère. En République fédérale d'Allemagne, les époux transmet-
tent aux enfants le nom « matrimonial » qu'ils choi-
sissent au moment de leur union et qui peut être
celui de l'un ou de l'autre, ou les deux réunis. En
Suède, une loi très récente permet aux parents, s'ils
n'ont pas le même nom de famille, de décider du

nom qui sera transmis à leurs enfants et s'ils ne le
font pas dans les six mois suivant la naissance,
l'enfant porte le nom de sa mère.

Le droit de porter le double nom est revendiqué
de plus en plus pour les enfants naturels. Il est souhaitable en effet qu'un enfant porte le nom de son
père, parce qu'il vient d'être reconnu ou légitimé
par lui, sans pour autant devoir abandonner celui
de sa mère sous lequel il a vécu jusque-là. Mais
l'usage du double nom est tout aussi nécessaire
pour les enfants légitimes ou adoptifs. De nombreuses propositions de loi ont d'ailleurs été dépo-
sées à ce sujet, mais toujours sans succès.

Il convient — et c'est l'un des objectifs de cette
proposition — d'unifier le statut de la transmission
du nom, qu'il s'agisse de descendance légitime ou
naturelle.

Pour toutes ces raisons, je vous demande
d'adopter la proposition de loi ci-après.

PROPOSITION DE LOI

Article premier.

Le mariage n'entraîne pas changement de nom.
Toutefois, le jour du mariage, par déclaration
devant l'officier d'état civil, les époux peuvent
choisir d'accoler dans l'ordre qu'ils déterminent, le
nom de chacun ou l'un de leur nom s'il s'agit d'un
nom double.

Article 2.

L'enfant légitime reçoit, à la naissance, les noms de ses deux parents ou partie de leurs noms s'il s'agit d'un nom double. Ces deux noms sont inscrits sur les registres d'état civil dans l'ordre que les deux époux ont choisi ou, à défaut d'accord des deux époux, par adjonction du nom de la mère.

Article 3.

L'enfant naturel reçoit le nom du parent qui l'a reconnu. Lorsque l'enfant est légitimé à l'égard de ses deux parents ou même simplement reconnu par eux deux, il reçoit, sauf déclaration contraire, les noms de ses deux parents ou partie de leurs noms s'il s'agit d'un nom double.

Article 4.

En cas de mariage, il sera fait choix d'un des deux noms accolés, par déclaration reçue par l'officier d'état civil célébrant le mariage.

À défaut de choix, l'ordre alphabétique pré-vaudra. Mention du nouveau nom sera portée d'office en marge des actes de l'état civil de l'inté-ressé.

Article 5.

Des décrets en Conseil d'État fixent les modalités d'application de la présente loi.

QU'EST-CE QUE CHOISIR ?

CHOISIR est une association (loi 1901) indépendante de toute formation politique, créée en juillet 1971 par un certain nombre de personnalités, dont Gisèle Halimi, Simone de Beauvoir, Christiane Rochefort, Jean Rostand de l'Académie française (décédé en 1977), avec comme *présidence* :

— Michèle Chevalier, l'inculpée du Procès de Bobigny, employée de métro,

— Gisèle Halimi, avocate à la cour, députée à l'Assemblée nationale de 1981 à 1984,

— Jacques Monod, prix Nobel de médecine (décédé en 1977).

Jusqu'en 1975, CHOISIR n'a cessé de poursuivre ses trois objectifs initiaux :

— Éducation sexuelle,

— Contraception libre et gratuite,

— Libéralisation de l'avortement.

Son slogan :
— *Ma liberté : la contraception,*

— *Mon choix : donner la vie,*
— *Mon ultime recours : l'avortement.*

Plusieurs procès, dont celui, retentissant, de Bobigny, pris en charge par CHOISIR en 1972 (cf. « *Avortement, une loi en procès : l'affaire de Bobigny* », par CHOISIR . Paris, Gallimard, 1973, collection « Idées »), ont conduit à la révision de la loi de 1920 qui réprimait l'avortement.

Dès 1974, les objectifs du mouvement CHOISIR s'élargissent. Considérant que chaque femme, quelles que soient sa classe sociale ou ses conditions de vie, ne jouit pas encore en France du statut d'être humain à part entière, CHOISIR lutte :

— pour le droit des femmes à disposer de leur corps et de choisir leurs maternités ;

— pour l'insertion à part entière des femmes dans la vie économique et sociale ;

— pour l'insertion à part entière des femmes dans la vie politique ;

— pour la destruction de tous les mythes afférents à l'image traditionnelle de la femme et l'élaboration de nouveaux schémas culturels d'où tout sexisme sera exclu ;

— pour donner à toutes les femmes l'éducation et la formation nécessaires à l'accomplissement des buts ainsi énoncés ;

— contre toutes les violences physiques et morales qui leur sont faites et, notamment, contre le crime de viol.

En effet, grâce à l'action de CHOISIR , et aux procès que l'Association a menés à Aix-en-Provence

(cf. « *Viol, le procès d'Aix-en-Provence* », par CHOISIR.
Préface de Gisèle Halimi : *Le crime*. Paris, Gallimard, 1979, collection « Idées »), Pau, Colmar, etc.,
le viol, jusqu'alors trop souvent considéré malgré la
loi comme un délit mineur, a été amené à sa juste
dimension de crime. Enfin les femmes violées ont
osé parler.

En 1975, une loi autorisant, pour une période de
cinq ans, les interruptions volontaires de grossesse
est votée. CHOISIR, aussitôt, crée une commission de
travail chargée de s'assurer de la bonne application
de cette loi, appelée loi Veil.

En 1977-1978, CHOISIR réalise deux expositions,
au centre Georges-Pompidou, et fait ainsi entrer,
pour la première fois, le féminisme dans un lieu
officiel de culture.

CHOISIR, à la veille des élections législatives de
1978, rédige le « Programme commun des femmes »
(cf. « *Le Programme commun des femmes* », par
CHOISIR, présenté par Gisèle Halimi. Paris, Grasset,
1978), dans lequel sont analysés les différents thèmes
d'inégalités ou de discriminations des femmes dans
la société actuelle et, pour chacun d'eux, la manière
concrète de remédier à ces situations.

Se rendant à l'évidence qu'aucun parti politique
n'accepterait de prendre en charge, d'une façon globale et prioritaire, le problème des femmes, CHOISIR
décide de présenter « CENT FEMMES POUR LES
FEMMES » aux élections législatives de mars 1978 et
de mener sa campagne sur les thèmes traités dans le
livre.

CHOISIR a défendu son programme dans toute la France, en dehors de la routine politicienne, avec des moyens financiers dérisoires (droits d'auteur du « *Programme commun des femmes* » et souscription des adhérentes et adhérents de l'Association).

En 1979, CHOISIR s'attaque à la discrimination envers les femmes dans le monde du travail, en se portant partie civile dans différents procès pour des femmes victimes de sexisme à l'embauche, au licenciement, à la qualification.

Les 5, 6 et 7 octobre 1979, CHOISIR organise un colloque international (cf. « *Choisir de donner la vie* » : compte rendu du colloque organisé par Choisir. Paris, Gallimard, 1979, collection « Idées »), à l'Unesco, sur le thème « CHOISIR DE DONNER LA VIE », « Pouvoir refuser, prévoir, vouloir la venue d'un enfant » : des médecins, des scientifiques, des hommes et des femmes politiques, des économistes, des démographes, etc. du monde entier sont venus pour débattre et témoigner de ce sujet qui met en cause, philosophiquement et politiquement, les fondements de notre culture (libération de la femme et du couple, avenir et autonomie de l'enfant, projet global de société).

En 1980, CHOISIR est la première organisation féministe à être reconnue à l'unanimité O.N.G. (Organisation non gouvernementale) par le Comité français des organisations non gouvernementales pour la liaison et l'information des Nations unies.

À l'occasion des élections présidentielles de mai

1981, CHOISIR organise au palais des Congrès de Paris, entre les deux tours, une rencontre avec les deux candidats, sur le thème des femmes. François Mitterrand accepte seul l'invitation et répond, pendant trois heures, aux questions de Gisèle Halimi et de sept femmes journalistes (cf. *« Quel président pour les femmes ? »* Compte rendu de la rencontre avec François Mitterrand le 28 avril 1981. Paris, Gallimard, 1981, collection « Idées »).

Le 21 juin 1981, Gisèle Halimi, présidente de CHOISIR, est élue députée. CHOISIR devient ainsi la première « voie/voix » féministe à l'Assemblée nationale.

Les 13, 14 et 15 octobre 1983, CHOISIR réunit à l'Unesco, dans le cadre d'un grand colloque international, des personnalités du plus haut niveau politique et culturel de 21 pays sur le thème « FÉMINISME ET SOCIALISMES ». Il s'agit de déterminer la place faite aux femmes par les grandes théories socialistes, de rappeler l'histoire des rapports entre féministes et partis socialistes, enfin de confronter la réalité des expériences socialistes et féministes dans les différents pays. L'essentiel est d'aboutir à une large confrontation de la théorie, de l'histoire et de la politique dans le domaine commun aux socialismes et au féminisme. Les trois journées ont permis de faire le point sur les luttes féministes des 21 pays représentés (cf. *« Fini le féminisme ? »* compte rendu du colloque « Féminisme et Socialismes » organisé par CHOISIR en octobre 1983. Préface de Gisèle Halimi : *« Perdre plus que nos*

chaînes ». Paris, Gallimard, 1984, collection
« Idées »).

En 1984, Gisèle Halimi dépose à l'Assemblée
nationale, en sa qualité de députée féministe, sept
propositions de lois

— Interruption volontaire de grossesse et remboursement (septembre 1982 et mars 1984)

— Suppression de l'enquête de moralité pour les
victimes de viol (mars 1984)

— Révocations des donations entre époux
séparés de biens (mars 1984)

— Préjugés sexistes dans les publications destinées à la jeunesse (mars 1984)

— Noms patronymiques (mars 1984)

— Création d'un fonds de garantie des pensions
alimentaires (avril 1984)

— Rémunération du congé parental alterné (juin
1984)

CHOISIR réalise deux émissions pour la télévision
FR3/Liberté 3, diffusées l'une en mars 1984, l'autre
en janvier 1985.

Les 9, 10 et 11 avril 1986, CHOISIR organise un
séminaire à l'Unesco, dont le thème « FEMMES ET
MÉDIAS » s'inscrit à double titre au cœur des activités
et des préoccupations de l'Unesco, puisqu'il traite à
la fois de la condition de la femme et des moyens de
communications.

Dans « l'Affaire du voile islamique », CHOISIR
dénonce avec force, dès octobre 1989, la présence
à l'école de ce symbole de soumission et d'aliénation des femmes, et est à l'initiative d'une grande

réunion publique, qui a lieu à la Mutualité le 28 novembre 1989 :

> « POUR LA DIGNITÉ DES FEMMES »,
> « POUR LA DÉFENSE DE LA LAÏCITÉ ».

Sans rien négliger des objectifs auxquels se rattache sa création, CHOISIR met aussi l'accent sur la nécessité de faire aux femmes une place à part entière en politique. Et, dépassant l'idée d'un quota obligatoire — mais restrictif — de femmes (l'amendement à la loi électorale de juillet 1982, « les listes de candidats ne peuvent comporter plus de 75 % de personnes du même sexe », proposé par la députée Gisèle Halimi, et repris par le groupe socialiste de l'Assemblée nationale, avait été annulé par le Conseil constitutionnel en novembre 1982), CHOISIR se bat pour une parité hommes/femmes, à tous les niveaux du pouvoir et de la représentation politique, bref pour une démocratie paritaire.

1991

305

DU MÊME AUTEUR

Aux Éditions Gallimard

DJAMILA BOUPACHA, *préface de Simone de Beauvoir*, avec dessin
   original de Picasso, 1962 et rééditions 1978, 1981 et 1991.
LE PROCÈS DE BURGOS, *préface de Jean-Paul Sartre*, 1971, collection
   « Témoins ».
LE LAIT DE L'ORANGER, 1988 et rééditions 1990 et 1991, collection
   « Folio ».

En collaboration avec CHOISIR La Cause des femmes

AVORTEMENT, UNE LOI EN PROCÈS : L'AFFAIRE DE
   BOBIGNY, 1973, collection « Idées ».
VIOL : LE PROCÈS D'AIX-EN-PROVENCE, 1978, collection
   « Idées ».
CHOISIR DE DONNER LA VIE, 1979, collection « Idées ».
QUEL PRÉSIDENT POUR LES FEMMES ?, 1981, collection
   « Idées ».
FINI LE FÉMINISME ?, 1984, collection « Idées ».

Chez d'autres éditeurs

LE PROGRAMME COMMUN DES FEMMES. Éd. Bernard Grasset,
   1978 (en collaboration).
RESISTANCE AGAINST TYRANNY. London, E. Heimler, 1966 (en
   collaboration).

Impression Brodard et Taupin
à La Flèche (Sarthe),
le 2 juin 1992.
Dépôt légal : juin 1992.
1er dépôt légal dans la collection : février 1992.
Numéro d'imprimeur : 6702F-5.

ISBN 2-07-038458-6 / Imprimé en France.

56640